Elogios a *Yoga para usuarios de ordenador*

Sandy tiene un auténtico don para equilibrar la técnica con el espíritu, el sentido común con la comprensión profunda, las aplicaciones modernas con los fundamentos tradicionales. ¡No es frecuente que los usuarios de ordenador consigan un complemento barato y de alta calidad que presente un camino de mejora que puede conducir a la iluminación!

—Randy Nelson, decano de la Pixar University, Pixar Animation Studios

¡Yoga para usuarios de ordenador podría cambiarte la vida! Sandy Blaine afronta hábilmente la epidemia de problemas que acosan a los usuarios de ordenador y explica con precisión lo que podemos hacer al respecto. No tengo ninguna duda de que cualquiera que lea este libro aprenderá a introducir en su vida más relajación, más confort y más salud.

—Nora Isaacs, autora de *Women in Overdrive: Find Balance
and Overcome Burnout at Any Age*

Este libro es medicina preventiva con letras mayúsculas para cualquiera que trabaje con ordenador. Es práctico, está escrito con claridad y lleno de buenos y sencillos consejos sobre cómo relajarse, liberar la tensión muscular, mejorar la postura e introducir en tu vida laboral la conciencia propia del yoga.

—Timothy McCall, doctor en Medicina,
editor médico del *Yoga Journal;* autor de *Yoga & medicina:
prescripción del yoga para la salud*

Yoga

para usuarios
de ordenador

Yoga

para usuarios
de ordenador

Programa preventivo para conservar sanos
el cuello, los hombros, las muñecas y las manos

SANDY BLAINE

TUTOR

Dedicado a mis alumnos, que son también mis mejores profesores.

Editor: David Domingo
Coordinación editorial: Paloma González
Traducción: Joaquín Tolsá
Asesora técnica: Paloma de la Peña

Título original: *Yoga for Computer Users. Healthy necks, shoulders, wrists and hands in the postmodern age*
Publicado en EE. UU. por Rodmell Press

© 2008 *by* Sandy Blaine
© 2008 de las fotografías de cubierta e interior *by* David Martinez Inc.
© 2010 de la versión española
   by Ediciones Tutor, S.A.
   Marqués de Urquijo, 34. 28008 Madrid
   Tel.: 91 559 98 32. Fax: 91 541 02 35
   e-mail: info@edicionestutor.com
   www.edicionestutor.com

 Miembro de la
World Sports Publishers' Association
(WSPA)

ISBN: 978-84-7902-843-5
Depósito legal: M-35.155-2010
Impreso en Artes Gráficas COFAS
Impreso en España - *Printed in Spain*

Índice

▼ ▼ ▼ ▼ ▼ ▼ ▼

Agradecimientos

▼ ▼ ▼ ▼ ▼ ▼ ▼ ▼ ▼ ▼

Mis más sinceras gracias a todas las personas que me ayudaron al escribir este libro.

Mi profesor y mentor Donald Moyer ha sido fuente de inspiración, apoyo y oportunidades durante muchos años.

Mi casa editora, Rodmell Press, ha apoyado mi trabajo y hecho realidad la ocasión de maneras que no habría nunca soñado antes de trabajar con ellos. Este libro es un trabajo de cooperación mejorado inconmensurablemente por la labor de edición experta, precisa y respetuosa de Linda Cogozzo y la contribución de sus ideas, que mejoraron y ampliaron mi idea original. Le estoy especialmente agradecida por su actitud de apoyo en el proceso de redacción mientras trabajamos juntas en este proyecto.

Quiero agradecer a mi colega Linda Burnham sus aportaciones y su apoyo. La experiencia de Linda en la curación de su propia lesión por esfuerzo repetitivo (LER), y su buena disposición para compartir su experiencia en los excelentes talleres que imparte, son una fuente de inspiración a la que aquí he recurrido.

Mi amigo y colega Witold Fitz-Simon me ofreció su apoyo de diversas maneras, incluida su ayuda con los términos sánscritos aquí empleados.

Estoy agradecida a mi talentoso amigo Joe Doebele, de TandemScientific.com, por su apoyo y la generosidad con la que compartió su magnífica labor de edición y sus aptitudes para la corrección. Fue un excepcional profesor particular de redacción cuando estaba sometida a la presión de los plazos de entrega.

Mis viejos y siempre cariñosos y generosos amigos, la familia Tricamo Palmer (Regina, Blaine, Devlin, Julia y Francesca), me hospedaron durante un retiro semanal para escribir, con el fin de acabar de redactar este libro lejos de las presiones y distracciones del trabajo y la casa.

Mi amiga y socia, Betsy Weiss, fue ella misma: la estrella del apoyo a los demás que siempre es, y defendió el fuerte en nuestro centro, Alameda Yoga Station, cuando yo estaba ocupada escribiendo.

Agradezco a todos mis alumnos de yoga su continuo apoyo y aprecio por mi trabajo. No tengo palabras para agradecer que tantos yoguis entregados me dejaran compartir mi práctica con ellos semana tras semana, año tras año.

Gracias a la deliciosa profesora en prácticas Connie Menzies por la clase de demostración centrada en la respiración que impartió como parte de su formación y por compartir conmigo sus investigaciones y recursos.

La inspiración y el material para este libro provinieron especialmente de mis alumnos de los Pixar Animation Studios, donde impartí mis primeras clases continuadas hace doce años y donde sigo enseñando hasta el día de hoy. Me gustaría agradecer a Pixar, especialmente a los chicos de la Pixar University (Randy Nelson, Elyse Klaidman, Elizabeth Greenberg y Adrienne Ranft) que patrocinaran mis clases allí y apoyaran mi trabajo de diversas formas.

Gracias a todos los baristas de mis sitios favoritos para escribir, donde pasé innumerables horas con mi portátil: Julie's Tea Garden, que está cerca de mi centro de yoga en Alameda (California) y donde he sido conocida por pasar días y días escribiendo, investigando y bebiendo sorbo a sorbo tés chai orgánicos en su patio ajardinado; la fantástica pastelería / cafetería Sweet Adeline de Oakland, y Crema, mi oficina favorita fuera de casa, de Portland (Oregón).

Estaba escribiendo este libro cuando descubrí de primera mano lo verdaderamente útil que el yoga puede ser para contrarrestar los perjudiciales efectos del uso del ordenador.

En otoño de 2006, cerca ya del final de este libro y afrontando un plazo de entrega editorial inminente, me tomé una semana libre de enseñar yoga y me fui a otra ciudad en un retiro para escribir que yo misma me impuse. Fui a Portland (Oregón), donde tengo amigos y familia y que para mí es en cierto sentido un hogar lejos del mío. Allí estuve apartada en gran medida de las distracciones y exigencias de mi centro de yoga, mi teléfono y todos los proyectos y recados sin hacer que requerían atención en casa.

Durante aquella única semana, llevé la vida de un escritor. Por vez primera en muchos años, no estructuré mi jornada en torno a mi práctica de yoga, sino que, en cambio, me pasé cada mañana con mi portátil en una cafetería. De muchas maneras, esa semana concentrada en escribir fue un gran lujo, pero también fue, bastante instructivamente, una ventana a otro modo de vida, y para mejor o peor experimenté directamente lo que supone estar atado a una mesa y a un ordenador.

Aunque nunca escribí durante más de cuatro horas seguidas, y me daba un largo paseo o asistía a una clase de yoga cada tarde después de escribir, era sorprendente lo distinto que notaba mi cuerpo cuando empezaba regularmente el día delante del ordenador. Acostumbrada a sentirme vital y relajada, y continuamente renovada, gracias a mi práctica diaria, era hiperconsciente de lo tensos que tenía los músculos y de lo mucho más coartada que tenía la respiración después de tan sólo una sesión de ordenador de mediana duración. Mi cuerpo imploraba yoga simplemente para mantenimiento. Los efectos físicos y mentales del uso continuado del ordenador son acumulativos, y pueden ser difíciles de percibir cuando se van adueñando subrepticiamente de la persona durante meses o años. A mí, tener una experiencia distinta con la que comparar ¡me facilitó ver cuánto necesitaba seguir mis propios consejos!

Es desde esta perspectiva recién descubierta desde la que ofrezco las pautas que he expuesto aquí para cuidar de nosotros mismos en la era tecnológica. El yoga, practicado con dedicación y consciencia, ofrece esta notable oportunidad: sentirnos bien en nuestro cuerpo al movernos por el mundo. Cuando las exigencias de nuestra vida cotidiana nos llevan en la dirección de la incomodidad física, las lesiones y el envejecimiento prematuro, cobra la mayor importancia que empleemos cualquiera de los recursos de que dispongamos para contrarrestar esos efectos. Con el yoga, tal vez podamos ralentizar un poco el proceso de envejecimiento y mantenernos fuertes, flexibles y equilibrados durante más tiempo, para poder disfrutar más plenamente de la existencia. Confío en que el programa de este libro dé al lector algunas herramientas para introducir más relajación en su vida.

Primera parte

Grandes avances: El cuerpo humano en la era tecnológica

▼ ▼ ▼ ▼ ▼ ▼ ▼ ▼ ▼ ▼ ▼ ▼ ▼ ▼ ▼ ▼

Medidas y cambios necesarios

El cuerpo humano evolucionó para cazar animales y recoger frutos, para correr y saltar y trepar, para jugar intensamente y descansar con plenitud, y no para sentarse delante del ordenador todo el día. La evolución no ha podido seguir el ritmo de los rápidos cambios de la era tecnológica; sencillamente, no estamos equipados para afrontar todas las necesidades de la vida moderna. Muchos necesitamos u optamos por invertir la mayoría de nuestras jornadas trabajando con un ordenador. Pero este estilo de vida se hace sentir, a veces de verdad, de diversas maneras, incluyendo problemas de columna y de espalda; tensión en los hombros, el cuello y la región dorsal, y diversas lesiones por estrés repetitivo, como el síndrome del túnel carpiano y la tendinitis. Por si eso fuera poco, uno de los efectos fisiológicos más importantes del estrés es un debilitamiento del sistema inmunológico, que afecta a la capacidad natural del organismo para prevenir o recuperarse de tales lesiones. Es probable que cada cambio importante en la manera de vivir la gente haya traído consigo un desafío evolutivo al cuerpo humano, y la Historia demuestra que no hay vuelta atrás. Lo que tenemos que hacer es encontrar soluciones y seguir evolucionando. Con este libro, confío en ofrecer algunos remedios basados en el yoga para todos estos problemas. Para empezar, es importante saber algo sobre los efectos anatómicos y fisiológicos que se derivan de la utilización prolongada del ordenador.

En primer lugar, si uno se pasa la mayor parte del día ante un ordenador, se arriesga a lesiones por esfuerzo repetitivo (LER). Incluso utilizar un teléfono o una PDA para enviar mensajes de texto puede provocar ciertas afecciones que se relacionan con los nervios de las manos cuando se abusa de ellos. Muchas otras actividades pueden causar LER; por ejemplo, los músicos, las costureras y los cocineros necesitan regularmente tratamiento y lo que tienen en común son las exigencias a las que su trabajo somete a los brazos y las manos. Sin embargo, hasta la era informática las LER nunca se acercaron a las proporciones epidémicas a las que ahora asistimos.

En segundo lugar, tanto si se tienen actualmente síntomas como si no, saber que se corre peligro hace que merezca verdaderamente la pena considerar la posibilidad de implementar algún tipo de régimen preventivo de cuidados personales. Es como tener una predisposición genética a una cierta enfermedad: las personas propensas a la hipertensión que conozco llevan una dieta baja en sodio y hacen ejercicio con regularidad para reducir el estrés al que el cuerpo se ve sometido y que puede provocar problemas más graves. Para usuarios de ordenador, un régimen preventivo proactivo puede ayudar a evitar que los problemas se desarrollen. Aunque pueda ser contrario a la naturaleza humana tratar un problema que no existe todavía, la prevención es siempre más eficaz que cualquier cura. Esto se aplica especialmente en el caso de las LER, porque los daños a los nervios a menudo alcanzan la etapa en la que son irreversibles. He visto a personas perder el uso de las manos hasta tal punto que no pueden conducir un coche, girar el pomo de la puerta o sostener una taza de té.

Por último, aunque el programa de ejercicios de yoga sugerido en este libro pueda servir de mucho para ayudar a prevenir LER e incluso aliviar síntomas menores, será efectivo sólo si se sigue con regularidad. Si se está trabajando (o jugando) con el ordenador ocho horas al día o más, media hora de yoga de vez en cuando probablemente no baste para contrarrestar las demandas a las que esas horas de utilización muscular y señales nerviosas repetitivas están sometiendo al cuerpo y la mente. Establecer pausas para hacer descansos regulares con estiramientos siempre que se esté delante del ordenador es excelente para empezar a contrarrestar los efectos del uso prolongado del mismo, y la regularidad es clave para producir beneficios continuados en vez de tan sólo un alivio momentáneo. Para lograr aún mejores resultados, esas largas horas de movimiento repetitivo deben equilibrarse con todo un programa de ejercicios, incluyendo una práctica completa de yoga. Con vistas a ese fin, más adelante se encontrarán en este libro sugerencias y secuencias para una práctica del yoga centrada en el ordenador, pero alejada de él. Lo ideal es que sean sesiones de entre 30 y 45 minutos de duración, por la mañana o al final del día, o en ambos momentos.

Es importante hacer notar que las LER agudas son afecciones que exigen supervisión médica. El programa descrito en este libro se centra en la prevención; no ofrece una cura para las LER avanzadas. Los mismos ejercicios que pueden servir para mantener sanos los músculos y los nervios no son necesariamente recomendables para los que ya están considerablemente dañados, los cuales suelen requerir un tratamiento muy distinto. En casos graves de LER, tal vez sea ya imposible reparar los nervios y quizá se necesite terapia para reducir al mínimo el dolor o controlarlo. Si se tienen síntomas de LER que indiquen lesiones nerviosas —es decir, si se está padeciendo dolor o debilidad crónicos en ciertas zonas— hay que consultar al médico antes de iniciar ningún tratamiento.

Incluso con LER graves y debilitantes, si bien controlar la enfermedad pueda requerir importantes cambios en el estilo de vida, probablemente puedan encontrarse maneras de aliviar los síntomas, al menos en cierta medida. Aunque el mejor tratamiento varíe de persona a persona, a pacientes de LER les han resultado útiles, además del yoga, diversas actividades y terapias. Entre ellas se incluyen la natación, el tai chi y el qigong, la danza, el masaje terapéutico, la acupuntura, el tratamiento quiropráctico, o algunas combinaciones entre ellas. Aunque se encuentre un programa que gestione eficazmente los síntomas, lo más probable es que las zonas dañadas siempre sean vulnerables, por lo que, a fin de continuar logrando los beneficios, hay que hacerse un hueco en la vida para seguir sistemáticamente un programa de cuidados personales. Y si no se quiere que las manos, las muñecas y los hombros se deterioren hasta llegar a la disfunción, también han de encontrarse maneras de cambiar aquellas cosas que están causando y/o agravando los síntomas.

La idea de que debemos introducir cambios radicales en nuestro estilo de vida, hábitos laborales o incluso carrera profesional para proteger nuestra salud puede ser sobrecogedora. Pero nuestra sociedad informatizada está soportando una grave epidemia que debe ser afrontada. Pueden servir de ayuda la ergonomía, el ejercicio físico y el masaje, y aunque puedan estar de camino otras terapias e incluso curas para las LER, por el momento, ocuparse de uno mismo eliminando la causa es, con diferencia, la opción de cuidados personales más efectiva si se padecen dolores graves. También en este caso, no dejar que se llegue hasta ese punto es evidentemente preferible, lo cual significa que, en cuanto aparezcan los primeros síntomas, hay que tomar medidas inmediatas para cambiar cómo, y cuánto, se trabaja con el ordenador y dedicar tanto tiempo como sea posible a equilibrar su utilización con ejercicio preventivo y un régimen de relajación. Si parece imposible ralentizar, piénsese en el resultado si no se hace. Una vez se haya establecido la LER hasta el punto de que no pueda usarse el ordenador sin dolor, es muy posible que sea ya tarde. Pocas veces puede cualquier tratamiento reparar efectivamente ese nivel de daños a los nervios, de manera que la decisión de cambiar de profesión viene impuesta por la situación.

Cómo puede ayudar el yoga

Creo incondicionalmente en el yoga como modalidad terapéutica enormemente eficaz y beneficiosa para los cuidados personales preventivos. He practicado el yoga durante veintiún años y lo he usado para curar varias de mis propias afecciones (particularmente, en la rehabilitación de mis rodillas gravemente lesionadas). Además, el yoga ha ayudado a mis alumnos y a diversos amigos íntimos a afrontar LER y otros retos para la salud relacionados con los ordenadores.

Aunque aquí nos centremos principalmente (aunque no sólo) en el tren superior, en un programa completo de yoga se usan prácticamente todos los músculos voluntarios del cuerpo. Ninguna otra disciplina que yo conozca puede afirmar tal cosa, y la gran mayoría de ellas requieren algún tipo de movimiento repetitivo que, a pesar de los beneficios que pueda ofrecer, también acaba por causar problemas. Los beneficios para la salud de usar todo el sistema músculo-esquelético son numerosos. En especial, el incremento del rango de movimiento y de circulación que el yoga aporta al cuerpo es especialmente útil para combatir LER y ofrecer contramovimientos a la habitual y dañina postura derrumbada ante el ordenador, que provoca que los músculos se atrofien y la espalda sufra. El yoga es un antídoto para el estancamiento de energía que ocurre en el cuerpo al sentarse al ordenador hora tras hora.

Además de los esenciales beneficios músculo-esqueléticos, el yoga también ofrece un singular sistema para la gestión del estrés, alternando entre el esfuerzo físico y la relajación profunda, lo cual entrena al sistema nervioso a desconectar la respuesta del estrés. Trataremos de la aplicación práctica de la relajación y la meditación para la gestión de la salud más detalladamente, al estudiar los dañinos efectos fisiológicos del estrés y cómo es mejor evitarlos.

La salud del sistema músculo-esquelético

Los músculos sufren, si bien es cierto que de distintas maneras, tanto por hiperutilizarlos como por infrautilizarlos. Un músculo que se está contrayendo constantemente y nunca se estira se vuelve duro y tenso, restringiendo el movimiento; estos músculos tensos pueden literalmente pinzar los nervios asociados, provocando sensaciones dolorosas. Los músculos que se utilizan poco pierden tono y pueden sentirse torpes e inertes; las vías nerviosas infrautilizadas o no utilizadas debilitan la conexión mente-cuerpo, y puede haber pérdida de sensibilidad.

Los músculos se mantienen jóvenes, flexibles y sanos cuando se contraen y estiran con regularidad. En cualquier momento en que estiras un músculo, los músculos opuestos se contraen para crear y mantener el estiramiento; por eso las posturas de yoga producen tanto flexibilidad como fuerza en un grupo relacionado de músculos. Por ejemplo, cuando flexionas el codo y el bíceps, el tríceps, en el lado contrario del brazo, debe estirarse para realizar esa acción, y viceversa: el bíceps debe contraerse para extender el tríceps. Los músculos siguen funcionando en oposición complementaria para mantener al practicante en posición durante tanto tiempo como continúe en un estiramiento. De este modo, el yoga emplea una saludable y purificante acción de "apretar y absorber", ya que los músculos responden a esta contracción y extensión alternas liberando toxinas, de manera muy parecida a como una toallita mojada libera humedad al ser escurrida. Cuando los músculos se vuelven a relajar después de ser usados, penetran en ellos renovados suministros de sangre y oxígeno.

El equilibrio entre flexibilidad y fuerza de los músculos se traslada a articulaciones móviles y bien soportadas, creando un cuerpo estructuralmente sólido y dando lugar a la facilidad de movimiento y circulación de energía que asociamos con la juventud. De hecho, es posible conservar o restaurar la flexibilidad, desarrollar mayor fuerza, y mantener joven todo el sistema músculo-esquelético hasta edad más avanzada si uno se ocupa de sí mismo juiciosamente.

La influencia de las sillas en el cuerpo humano

Podría decirse que la columna vertebral, o raquis, es la parte más importante del cuerpo. Constituye el principal apoyo estructural del cuerpo, incluyendo, para los seres humanos, la capacidad de estar de pie y sentarse erguidos. Es el medio de transmisión de mensajes que van y vienen entre el cuerpo y el cerebro. La columna siempre ha sido vulnerable a las lesiones, y los problemas de espalda, especialmente en la región lumbar, son una queja sumamente habitual. Tanto si se padece de problemas de espalda como si no, probablemente se conozca a personas que sí los tengan. Algunos estudios calculan que hasta un 70 % de las personas de más de cuarenta años de edad tienen problemas de espalda. Si eso es cierto, es evidente que algo no va bien.

Las sillas, y la cantidad de tiempo que pasamos sentados en ellas, son importantes culpables de esos padecimientos. Si ponemos un ordenador o un volante delante de nosotros, la presión sobre nuestra postura se agrava. La tensión en los músculos de las caderas y las piernas (que son bastante comunes en adultos que no hacen estiramientos y padecen además las tensiones añadidas derivadas de una vida sedentaria) añade aún más estrés, porque reduce la movilidad de los acetábulos (cavidades de los ísquiones en que entra la cabeza del fémur), "pegando" de hecho la pelvis a los fémures y limitando la capacidad de las articulaciones coxofemorales para contribuir a una postura sana del modo que la naturaleza la entiende. Como articulaciones de bola y receptáculo (es decir, enartrosis o articulaciones esféricas), lo ideal es que las caderas den soporte a la columna rodando con facilidad sobre los fémures para poder asentar mejor el tronco, desde el sacro para arriba. Cuando este movimiento se restringe, las articulaciones sacroilíacas y las articulaciones vertebrales lumbares, más pequeñas y mucho más vulnerables, se ven forzadas a asumir el control y tratar de hacer una tarea para la que no están hechas. El resultado es que ocurre un incalculable número de lesiones de espalda, ya que estas articulaciones y los músculos relacionados se fuerzan para sostener nuestra postura sentada, tirando contra la gravedad y de nuestros propios músculos ya tensos.

Esta afección provoca inevitablemente una mala postura, que a su vez causa o al menos contribuye a tensión en el cuello y los hombros. Manteniendo el cuerpo en posiciones relativamente inmóviles o incómodas durante largos períodos, o tan sólo manteniendo inconscientemente la tensión en la musculatura (tensando ciertos músculos cuando nos sentimos estresados o simplemente por hábito), infundimos malsanos patrones en esos músculos, que acaban provocando problemas como el dolor crónico, cefaleas tensionales y otras enfermedades.

Lesiones por esfuerzo repetitivo (LER): concepto y causas

Históricamente las rodillas y la columna siempre han sido las zonas del cuerpo más propensas a lesiones. Sólo en la era de la informática se ha revelado plenamente la vulnerabilidad de los brazos y las manos. Al haber impartido clases de yoga y seminarios de prevención de LER para empresas de alta tecnología durante los últimos doce años, he visto de primera mano, una y otra vez, lo dañina que puede ser la combinación de estrés y necesidades físicas del uso continuado del ordenador. Estos daños se conocen médicamente como lesión por esfuerzo repetitivo (LER), término que describe innumerables dolencias físicas, desde tensión aguda en el cuello y los hombros hasta síndrome del túnel carpiano, pasando por tendinitis.

Aunque no se conozca bien la causa ni la cura para las LER, sí que parece que los trabajadores informáticos son especialmente vulnerables a problemas de este tipo, probablemente debido a una combinación de largas horas sentado en una silla encorvado sobre un teclado, el movimiento repetitivo tanto de los pequeños como de los grandes músculos del tren superior que se requieren para usar el teclado y el ratón, y presiones tales como los plazos de entrega de trabajos, que mantienen el sistema nervioso hiperexcitado.

A la gente a menudo la deja perpleja que la tensión en el cuello y los hombros pueda provocar dolor en las manos y las muñecas. Es algo que tiene que ver con una serie de vías nerviosas conexas, pero desde un punto de vista global son siempre las articulaciones y músculos menores los que padecen cuando los grandes no son capaces de desempeñar eficazmente su función. Por ejemplo, cuando alguien tiene tensos los isquiotibiales, a menudo es la zona lumbar la que soporta los daños, ya que las articulaciones lumbares y sacroilíacas, mucho menores y más vulnerables, tratan de compensar la reducción de movilidad en las articulaciones de la cadera. Asimismo, la tensión excesiva en los rotadores de la cadera se experimenta con mayor frecuencia como dolor e incluso lesiones de rodilla, porque dificulta el movimiento saludable de las piernas. De igual manera, cuando los músculos del cuello, los hombros y la parte superior de la espalda están acortados, los pequeños músculos y articulaciones de las muñecas y las manos, que ya están trabajando en el teclado mucho más duramente de lo que la naturaleza pretendía, se ven afectados negativamente por la falta de movilidad en los más grandes.

Los efectos fisiológicos del estrés

Aunque el estrés puede empezar en el cerebro, no es sólo un concepto ni un estado mental, sino una reacción normal, de hecho inevitable, a los estímulos, tanto internos como externos, reales o imaginados, que produce un sinfín de reacciones fisiológicas.

Sabemos que el estrés afecta al sistema músculo-esquelético. ¿Con qué frecuencia has tomado consciencia, después de horas de trabajar con el ordenador, de que los hombros se han ido acercando a las orejas, los músculos de la parte superior de la espalda y del cuello se han tensado cada vez más y, si estás sometido a presiones, tienes tenso el abdomen? Muy a menudo, los estiramientos y la respiración —los fundamentos del yoga— servirán de mucho para aliviar los síntomas musculares del estrés.

Menos obvio es el modo en que el estrés afecta a los sistemas internos del cuerpo, incluyendo el sistema nervioso y la regulación de su delicado y complejo equilibrio hormonal. Y aunque el cuerpo esté construido para soportar una cierta cantidad de estrés, en la vida moderna nuestro sistema nervioso se halla a menudo hiperactivado, y nuestro cuerpo sobresaturado de hormonas del estrés, debido a la tensión constante. Para tener una explicación médica clara y entretenida de cómo afecta exactamente el estrés crónico a los diferentes sistemas del cuerpo, recomiendo el trabajo de Robert M. Sapolsky, en especial su libro *¿Por qué las cebras no tienen úlcera?,* que trata detalladamente de la fisiología del estrés y de las enfermedades a él asociadas. Baste decir aquí que el cuerpo humano se desarrolló para afrontar el estrés a corto plazo, en especial las crisis físicas, y no las clases de factores estresantes crónicos que afrontamos en la vida moderna.

Cuando se está produciendo demasiado estrés, el cuerpo invierte la mayor parte de su energía en responder a él y no le queda suficiente para reparación y mantenimiento, de manera que los sistemas físicos como la digestión, la reproducción y, tal vez más significativamente, el sistema inmunológico no pueden funcionar óptimamente. Debido a ello, un cuerpo hiperestresado no es capaz de afrontar el desgaste natural de los músculos, articulaciones y nervios causado por largas horas ante el ordenador. Junto con los daños que el cuerpo soporta, el proceso de curación natural se ve simultáneamente afectado.

Esta realidad convierte al componente de relajación del yoga en parte esencial de cualquier programa preventivo de cuidados personales o terapéutico diseñado para afrontar los LER y otros efectos perjudiciales del uso de los ordenadores. La relajación profunda realizada con regularidad tonifica el sistema nervioso, y el cuerpo funciona al máximo cuando está bien descansado. Por eso los ejercicios de relajación al final de una práctica del yoga no son sólo una "recompensa" por haberse ejercitado; forman parte esencial de cuidar la salud y el bienestar en general y el sistema inmune en particular.

Cómo usar este libro

El resto de este libro esboza un programa de cuidados personales basado en el yoga, diseñado para afrontar los desafíos a la salud que presenta un estilo de vida centrado en el ordenador. El programa está constituido por varios elementos complementarios.

La sección siguiente ofrece sugerencias para equilibrar el tiempo pasado ante el ordenador con saludables pausas para cuidados personales, pautas que tener presentes al empezar a tomarse descansos de yoga, incluyendo algunas ideas para ayudarte a practicar en el entorno laboral, y, lo más importante, instrucciones para beneficiosos ejercicios específicos de yoga: *asanas* (posturas y estiramientos), *pranayama* (técnicas respiratorias) y prácticas de meditación. El objetivo de los ejercicios elegidos para esta sección es desarrollar los componentes de una correcta postura sentada y mejorar el tono, la flexibilidad y la circulación en los músculos de la parte superior del cuerpo, creando así más movilidad y consciencia del movimiento saludable en las articulaciones. Junto con las instrucciones para realizar los ejercicios, hay descripciones de los beneficios particulares de cada una y algunas advertencias que tener presentes. La práctica del yoga requiere un equipamiento mínimo, y cada postura incluye una explicación de los accesorios que se necesitarán y cómo usarlos.

La mayoría de los ejercicios de esta primera sección pueden practicarse mientras se está ante el ordenador o al hacer una breve pausa. Para lograr el máximo beneficio, recomiendo hacer estos estiramientos regularmente durante todo el tiempo pasado ante el ordenador y, para quienes trabajan en el horario comercial normal, tomarse al menos dos descansos de yoga concentrados, de 10 a 20 minutos, durante el curso de una jornada laboral. Sin embargo, ten presente que leer todo el libro, sobre todo las pautas de práctica, antes de empezar con la realización de los ejercicios, te permitirá obtener los mejores resultados de la práctica del yoga.

La tercera parte describe cómo enfocar una práctica del yoga concentrada (libre del ordenador), tal vez antes o después del trabajo. Esta sección añade unos cuantos asanas, que están pensados para ayudarte a sacar el máximo partido de tu práctica personal del yoga desde el punto de vista de equilibrar tu cuerpo (especialmente los sistemas músculo-esquelético y nervioso) con las tensiones particulares del uso prolongado del ordenador. Cada ejercicio incluye instrucciones completas, una explicación de sus beneficios, equipo requerido y sugerido, y algunas advertencias que tener presentes. Tanto si el tiempo que pasas con el ordenador es regular como si es esporádico, empezar y terminar cada jornada con veinte o treinta minutos de yoga es un antídoto maravilloso y eficaz contra las demandas a las que un uso intenso del ordenador somete al cuerpo, la mente y el espíritu.

La cuarta parte sugiere varias secuencias de práctica que puedes usar para orientar tu práctica del yoga, dependiendo del tiempo de que dispongas y de las necesidades particulares que tengas en ese momento. Esta sección también trata de las orientaciones y requisitos básicos para una práctica del yoga segura y eficaz. Para obtener los mejores resultados, alterna las distintas secuencias y ten presentes las pautas de práctica.

La quinta parte incluye algunas ideas y sugerencias para incorporar el yoga a la vida cotidiana, así como ciertos recursos para desarrollar tu práctica. Confío en que sean útiles al empezar a cuidar de ti mismo más plenamente y disfrutar los beneficios de una experiencia más sana, libre y gozosa de trabajar con tu cuerpo y vivir en él.

Segunda parte

Yoga de sobremesa

▼ ▼ ▼ ▼ ▼ ▼ ▼ ▼ ▼ ▼ ▼ ▼ ▼ ▼ ▼ ▼

¡Haz una pausa! Equilibrar con la práctica del yoga el tiempo pasado ante el ordenador

Tanto si estás usando el ordenador para trabajar como si estás usándolo para jugar o alguna combinación entre ambas cosas, cuantas más horas pases haciéndolo, más necesitarás equilibrar esas horas con tiempo dedicado a cuidarte. Ésta es la idea esencial de la compensación. Cuando imparto una introducción a las clases de yoga, una pregunta que me hacen a menudo es si una clase de yoga a la semana es suficiente. No puede darse una respuesta sencilla a esa consulta. Antes de nada, se impone la pregunta: ¿suficiente para qué? Una clase a la semana es desde luego infinitamente mejor que ninguna en absoluto, y probablemente sea suficiente para empezar a notar alguna mejora en el bienestar físico, especialmente en las horas inmediatamente posteriores a la clase. Sin embargo, los beneficios empiezan a disiparse a medida que el tiempo transcurre, y no hay duda de que una vez a la semana no basta para compensar cuarenta horas, o más, a la semana pasadas ante el ordenador, de igual modo que una sola comida que incluya verduras no es suficiente para compensar veinte comidas previas de azúcar y grasa. Una práctica más sistemática cosecha mayores beneficios, porque al practicar múltiples veces a la semana, queda menos tiempo para que los músculos se tensen y para que el estrés se acumule entre las prácticas. Por tanto, al añadir más yoga a la vida semanal o incluso diaria, los beneficios se acumulan exponencialmente.

El primer paso para aliviar las tensiones físicas y mentales de la actividad informática es hacer pausas para introducir períodos regulares de estiramientos y respiración, interrumpiendo el tiempo que se pasa usando el teclado y el ratón y alternándolo con tiempo invertido en realizar contramedidas, y en concentrarte en tu interior en vez de en la pantalla. Los ejercicios siguientes, que pueden hacerse a lo largo de toda la jornada, sirven para aliviar esas tensiones. Aunque algunos puedan ser más cómodos para la práctica en privado que en un entorno laboral comunitario, todos ellos pueden practicarse fácilmente en un espacio pequeño, y muchos sentado a la mesa de trabajo. Antes de ponernos con los ejercicios mismos, son oportunas unas palabras acerca de la práctica del yoga dirigidas a aquellas personas que usan el ordenador principalmente en el trabajo.

Practicar en el trabajo: problemas y sugerencias

Aunque hubo una época en que el yoga se consideraba una ocupación contracultural extravagante, o incluso sencillamente rara, en la década pasada ha entrado a formar parte de las prácticas físicas habituales. La mayoría de la gente considera actualmente al yoga igual que a cualquier otra práctica de salud o forma de ejercicio. Es de esperar que tus colegas te apoyen en que cuides tu salud y acepten una pausa para el yoga igual que aceptarían que te fueras a correr o juegues al tenis a mediodía. No obstante, cada lugar de trabajo es distinto. Tendrás que evaluar la aceptación y apoyo que conseguirás de los tuyos y establecer en consecuencia tu espacio y tu programa de práctica. En cualquier caso, el lugar de trabajo no ofrece, evidentemente, el mismo nivel de intimidad que se consigue practicando en casa.

Si tienes tu propia oficina, tal vez puedas cerrar sencillamente la puerta para aislar tu espacio de práctica. Si tu oficina tiene cristaleras, es posible que te resulten necesarias unas cortinas o algún otro tipo de cobertor para poder practicar sin sentirte cohibido. Si tu oficina es bastante grande, tal vez puedas dedicar un rincón a crear un espacio personal para el yoga; y siempre que te quepa la esterilla, dispondrás de suficiente espacio para hacer una práctica de yoga razonablemente completa. Dedicar unos momentos para montar la esterilla y los accesorios y suspender la sesión en tu ordenador te ayudará a crear una burbuja a tu alrededor que te aísle del trabajo y te permita profundizar en la práctica. Decide de antemano la duración de la sesión, y trata de no contestar a las llamadas ni comprobar el correo electrónico en ese tiempo.

Trabajar en un cubículo o en una planta abierta es una cuestión totalmente distinta, ya que el espacio y la intimidad de que dispongas estarán mucho más limitados. Si no puedes encontrar un espacio tranquilo y privado, como pueda ser una sala de conferencias vacía, en el que practicar, es posible que te convenga limitarte sólo a los ejercicios en postura sentada para tus pausas de yoga en la oficina y dejar los que requieren más libertad para casa, o al menos para momentos en que estés solo en la oficina. Sin embargo, otra opción es organizar una práctica comunitaria con tus compañeros de trabajo. Cuando empieces a practicar en el entorno laboral, tal vez descubras que despierta interés. Considera la posibilidad de ofrecerte a enseñar a tus colegas estos ejercicios o incluso dirigir una práctica de grupo regularmente. Que participe más gente resolverá el problema de la cohibición, y puede ser también muy motivador.

Las posturas: tomarse un descanso del ordenador

Postura Sentada

▼ ▼ ▼ ▼ ▼ ▼ ▼ CREA CONCIENCIA DE LA NECESIDAD DE UNA
COLUMNA VERTEBRAL SANA Y MEJORA SUS SOPORTES

PRACTICAR CON CUIDADO: Si se tienen problemas en la zona lumbar o las caderas o los isquiotibiales muy tensos, hay que colocarse bajo los ísquiones algún accesorio para elevarlos.

ACCESORIO: 1 silla

ACCESORIOS OPCIONALES: 1 cuña, 1 esterilla antideslizante o 1 manta • 1 segunda esterilla antideslizante

El primer ejercicio, que trata de los fundamentos de la postura saludable y de aprender cómo (y cómo no) sentarse en la silla, es esencial por sí solo. También establece la posición de partida básica para muchos de los ejercicios siguientes. Muchos de estos ejercicios no se hacen sentados, por lo que es esencial empezar con una silla adecuada para realizarlos. En las clases de yoga se emplean a menudo sillas metálicas plegables, muy sencillas, que son ideales debido a su estabilidad y a su superficie firme. Si no se dispone de una de estas sillas, otras pueden funcionar; pero, cuanto más sencillas sean, mejor. Téngase presente que la silla que se emplea para la práctica del yoga responde a requisitos distintos que la mejor opción ergonómica para la terminal de trabajo informático (en la sección sobre accesorios, de la Cuarta Parte, pág. 105, se encontrará más información sobre este tema). Para nuestros propósitos, utilizar una silla con ruedas no es seguro, y los brazos de la misma impedirían muchos movimientos.

Para quienes tienen tensos los isquiotibiales o las caderas, alzar los ísquiones con algún accesorio es una modificación importante para sostener adecuadamente la espalda y tener una buena postura. El mismo accesorio puede también ayudar a compensar la debilidad de los músculos del segmento somático central y de la región lumbar, o ajustarse a nuestras proporciones (por ejemplo, nuestra altura respecto al tamaño de la silla). La altura ideal de la silla permite que las rodillas se hallen al mismo nivel que las articulaciones coxofemorales o ligeramente más bajas. Si se es alto, al sentarse en la silla y poner las plantas de los pies en el suelo, las rodillas pueden alzarse más que dichas articulaciones, lo cual no es una buena posición para la espalda en este estiramiento (ni, de hecho, en general), por lo que, en este caso, conviene sin duda usar un accesorio bajo los ísquiones para que los muslos puedan descender ligeramente por debajo de la pelvis. Aprovecharse de esta opción no tiene desventajas, sólo beneficios. Una cuña de gomaespuma dura, una esterilla antideslizante doblada o una manta firme (doblada varias veces) son buenos accesorios para alzar la pelvis, y se puede experimentar con ellos para crear la posición sentada más cómoda y estable para uno mismo (Figura 1A). Aunque para sostener la postura no se necesite alzar los ísquiones con uno de estos accesorios, una esterilla antideslizante doblada colocada sobre el asiento de la silla puede hacer más cómodas las posturas sentadas;

FIGURA 1A
POSTURA SENTADA, CON SOPORTE

el asiento de una silla plegable metálica puede ser resbaladizo, estar frío, o ser sencillamente incómodo, debido a que la superficie es muy dura. Si el suelo es resbaladizo, conviene colocar una segunda esterilla antideslizante para mejorar la estabilidad. Si se está practicando descalzo y la superficie del suelo resulta incómoda (como pueda ser una moqueta industrial en una oficina), esta esterilla en el suelo también puede servir de cómoda almohadilla para los pies.

Siéntate en el borde mismo del asiento de la silla, con los pies separados entre sí la anchura de las caderas y firmemente plantados en la esterilla. Si estás usando un accesorio para alzar los ísquiones, debe también hallarse en el borde del asiento de la silla. Adelanta tu peso para sentarte hacia el borde anterior de los ísquiones, en vez de sentarte sobre los glúteos al colocarse las caderas en retroversión. Lo ideal es sentir estos huesos presionando ligeramente contra la silla o contra el accesorio.

Pon las manos sobre las caderas, y deja que la pelvis bascule ligeramente arriba y abajo, para que los músculos de las articulaciones de las caderas se suelten y encuentres la posición más vertical posible para la pelvis. La cara anterior de los huesos de la cadera debe estar ligeramente en elevación, como separándose de los fémures, y el sacro debe desplazarse hacia dentro y hacia arriba, en dirección a la cabeza, en vez de desplomarse para atrás, hacia el respaldo. Este basculamiento de la pelvis debe ayudarte a sentir el saludable movimiento de los acetábulos de las caderas rodando sobre los fémures y también la diferencia entre una columna desplomada y una columna sostenida por la basculación y elevación de la pelvis.

Una vez encontrada esta posición vertical, mantenla mientras pones las manos sobre los muslos y relajas los hombros (Figura 1B). Cierra los ojos para que te resulte más fácil concentrarte, y toma mayor conciencia de tu alineación. Lo ideal es sentir los hombros equilibrados en la vertical de la pelvis y la coronilla situada con la mayor precisión posible en la vertical del coxis. Para crear una postura saludable, en vez de tirar hacia arriba con los músculos de la espalda, sigue alzándote a partir de las articulaciones coxofemorales y el sacro, y alarga la coronilla, manteniendo la nuca y el cráneo alargados y la barbilla relajada, con la mandíbula paralela al suelo. Mientras, alargándote, creas más espacio entre el coxis y la coronilla, siente cómo se separan entre sí las vértebras, y deja que la cabeza se sienta lo más ligera posible, como un globo lleno de helio que se eleva flotando pero atado a una cuerda. La cuerda es la columna, sujeta a la silla por el coxis.

Trata de mantener la Postura Sentada durante al menos 1 minuto, y cuando eso te resulte cómodo, ve aumentando gradualmente el tiempo. Puedes usar este ejercicio para empezar tu práctica de yoga en la oficina, y también debes practicarla a intervalos regulares durante toda la jornada. En realidad, a veces te derrumbarás. El cuerpo humano no está pensado para sentarse horas seguidas, así que sé amable contigo mismo cuando te pilles con la columna hundida, y vuelve sencillamente a este ejercicio. Si lo practicas con regularidad, aunque no siempre tengas una postura perfecta, ésta mejorará continuamente, y descubrirás que tu cuerpo se autocorrige con mayor facilidad y, con el tiempo, automáticamente, al aprender a soportar e incluso preferir una posición más sana.

FIGURA 1B
POSTURA SENTADA

Postura Sentada de la Montaña con Estiramiento Básico de Brazos
PARVOTASANA

▼ ▼ ▼ ▼ ▼ ▼ ABRE LA ARTICULACIÓN ESCAPULOHUMERAL • LIBERA
TENSIÓN EN LOS HOMBROS • ALARGA LOS MÚSCULOS INTERCOSTALES

PRACTICAR CON CUIDADO: En caso de lesiones de hombro.

ACCESORIO: 1 silla

ACCESORIOS OPCIONALES: 1 cuña, 1 manta o 1 esterilla antideslizante •
1 segunda esterilla antideslizante • 1 bloque de yoga

Empieza en Postura Sentada (Figuras 1A o 1B). Entrelaza las manos con los dedos entrecruzados, de manera que al girar las palmas hacia fuera, los dedos se hallen apoyados contra el dorso de las manos. Colócate las manos entrelazadas encima de la cabeza, con las palmas vueltas hacia arriba y los dedos en contacto con el cráneo. Alarga la columna presionando suavemente la coronilla contra las manos. Acto seguido, estira los brazos, manteniendo los dedos entrecruzados y estirando las palmas hacia arriba, como si pudieras ponerlas sobre el techo (Figura 2A). Trata de no dejar que los brazos se

FIGURA 2A

POSTURA SENTADA DE LA MONTAÑA CON ESTIRAMIENTO
BÁSICO DE BRAZOS

adelanten, sino más bien estíralos en vertical, para que los bíceps se hallen junto a las orejas.

Mientras los brazos se estiran hacia arriba y uno hacia el otro, trata de mantener blandas las caras superiores de los hombros y separadas las escápulas, de manera que los músculos de la parte superior interna del hombro no se endurezcan mucho ni se contraigan. Elevar los brazos y acercarlos entre sí mientras se mantienen separadas las escápulas son dos acciones contrarias, por lo que no tendrás que enfrentarlas para encontrar el estiramiento que sientas mejor. Hay que sentir el estiramiento principalmente a lo largo de los costados, hasta llegar a los lados del pecho y las axilas, e incluso penetrando en los tríceps. Es posible sentir un suave estiramiento de las manos y las muñecas, lo cual no está mal, pero no hay que exagerarlo. El centro de atención del estiramiento, y donde ocurra la principal sensación que produzca, debe ser la parte externa de las articulaciones del hombro.

Si resulta difícil entrelazar las manos o estirar los brazos en esta posición, una opción es sostener un bloque de yoga entre las palmas. En esta versión, las palmas

están planas a lo largo de los lados del bloque, y presionan con la base de los dedos y la eminencia tenar (la parte de la palma situada entre el pulgar y el índice y en la base del pulgar) contra el bloque mientras estiras los brazos por encima de la cabeza, alargando las puntas de los dedos hacia arriba, en dirección al techo (Figura 2B).

Relájate y respira en este estiramiento durante aproximadamente 1 minuto, y luego relaja y repite una vez más, con las manos entrelazadas al revés. Puede lograrse el entrelazamiento contrario desplazando cada dedo una posición, de manera que el índice opuesto se acerque a los pulgares.

FIGURA 2B
POSTURA SENTADA DE LA MONTAÑA
CON ESTIRAMIENTO BÁSICO DE BRAZOS Y BLOQUE DE YOGA

Postura de Oración con las Manos en la Espalda
PASCHIMA NAMASKAR

▼ ▼ ▼ ▼ ▼ ▼ ▼ ABRE LAS ARTICULACIONES ESCAPULOHUMERALES
Y EL PECHO • LIBERA TENSIÓN EN LOS HOMBROS Y EL CUELLO •
ESTIRA LAS MANOS Y LAS MUÑECAS • LIBERA LA RESPIRACIÓN

PRACTICAR CON CUIDADO: En caso de lesiones de hombro, mano o muñeca.

ACCESORIO: 1 silla

ACCESORIOS OPCIONALES: 1 cuña o 1 manta o 1 esterilla antideslizante •
1 segunda esterilla antideslizante

Empieza en Postura Sentada (Figuras 1A o 1B). Alarga la columna y extiende los brazos lateralmente en posición de T. Moviendo desde el interior las cavidades glenoideas, empieza a rotar internamente ambos brazos hasta que las palmas de las manos giren hacia atrás tanto como sea posible. Cuando los brazos hayan rotado tanto como te resulte cómodo, flexiona los codos, llevando las manos detrás de la espalda con los dedos medios en contacto, los meñiques presionando suavemente contra la espalda y las palmas vueltas hacia abajo, en dirección al asiento de la silla. Moviéndote suavemente, y llegando sólo tan lejos como sientas cómodo, empieza a tirar de las puntas

FIGURA 3A
POSTURA DE ORACIÓN CON LAS MANOS EN LA ESPALDA

de los dedos hacia la cabeza, aproximando las palmas entre sí en una posición de oración (Figura 3A). Detente siempre que sientas que el estiramiento es suficiente para ti, y respira, manteniendo el pecho elevado y abierto y la columna alargada y soportada, alzándote desde la base de la espina dorsal y manteniendo la coronilla en la vertical del coxis.

Es posible sentir este estiramiento principalmente en los dedos, las manos y/o las muñecas, en cuyo caso debes ser especialmente moderado y tener cuidado de no empujar. Si las bases de las manos se aproximan entre sí, pueden presionarse las manos con más firmeza, juntando las bases de los dedos si es posible. Al profundizar en el estiramiento de este modo, es probable que tengas más sensación de estiramiento en los hombros y el pecho. En cualquiera de los dos casos, sigue manteniendo la posición y respirando durante 30 segundos, para empezar, aumentando con el tiempo poco a poco hasta aproximadamente 1 minuto.

Si este ejercicio te resulta doloroso o demasiado difícil, una alternativa es flexionar sencillamente los brazos detrás de la espalda, tratando de agarrar cada codo con la mano opuesta (Figura 3B) o sujetando cada antebrazo con la mano contraria lo más cerca de los codos que puedas alcanzar cómodamente. Mantén esta posición como en la primera variante, con el pecho elevado y abierto y la columna alargada, y repite una segunda vez con los brazos cruzados a la inversa.

FIGURA 3B
POSTURA DE ORACIÓN CON LAS MANOS
EN LA ESPALDA, SUJETANDO LOS CODOS

Postura Sentada del Águila
GARUDASANA

▼ ▼ ▼ ▼ ▼ ▼ ▼ ABRE LAS ARTICULACIONES ESCAPULOHUMERALES
Y LA PARTE SUPERIOR DE LA ESPALDA • LIBERA TENSIÓN
EN LOS HOMBROS Y LA PARTE ALTA DE LA COLUMNA •
ESTIRA LOS BRAZOS Y LAS MUÑECAS • LIBERA LA RESPIRACIÓN

PRACTICAR CON CUIDADO: En caso de lesiones de hombro o de la parte superior
de la espalda.

ACCESORIO: 1 silla

ACCESORIOS OPCIONALES: 1 cuña o 1 manta o 1 esterilla antideslizante •
1 segunda esterilla antideslizante

Empieza en Postura Sentada (Figuras 1A
o 1B). Alarga la columna, y extiende los
brazos lateralmente en posición de T.
Trabajaremos en tres fases.

Fase 1. Envuelve el pecho con los
brazos, como si te estuvieras dando un
abrazo, con el brazo derecho encima
del izquierdo. Lleva las manos en torno
a las escápulas, acercando poco a poco
las puntas de los dedos a la columna dorsal, en la medida que resulte cómodo

FIGURA 4A
POSTURA SENTADA DEL ÁGUILA, FASE 1

(Figura 4A). Realiza un par de respiraciones relajadas y expansivas, llevando el aliento a las manos, de manera que sientas la respiración penetrando en la parte superior de la espalda, y cómo se llena y se abre más la zona escapular e interescapular. Si hasta aquí la sensación es de que el estiramiento en la parte superior de la espalda es suficiente, puedes parar y mantener aquí la posición, llevando la inspiración hasta la columna torácica y la zona escapular durante 30-60 segundos, y luego suelta los brazos. A medida que esta zona se abra, es probable que puedas pasar a la fase siguiente.

Fase 2. Siempre y cuando sea cómodo pasar a un estiramiento más profundo, acerca entre sí los antebrazos y los dorsos de las manos, manteniendo el codo izquierdo firmemente metido bajo el derecho. Detente cuando sientas un estiramiento en la parte superior de la espalda, y aproxima sencillamente los dorsos de las manos entre sí, o presiona uno contra el otro si se hallan en contacto (Figura 4B).

Fase 3. Acto seguido, si los dorsos de las manos se tocan, y sigues estando cómodo para profundizar un poco más, empieza a entrelazar los brazos.

Esto no es nada fácil, porque intuitivamente lo más probable es que quieras girar las manos, pero en cambio has de mantener las palmas mirando en direcciones opuestas, y seguir desplazando una mano hacia la otra y superándose. La mano izquierda debe pasar más cerca de tu cara cuando las manos se superan una a la otra. Las manos continúan apartándose una de otra y dirigiéndose hacia los hombros contrarios hasta que las palmas vuelvan a quedar enfrentadas. Una vez logrado esto, puedes entrelazar las manos presionando las yemas de los dedos de la mano izquierda contra la base de la mano derecha. Después, con los hombros aún en la vertical de las caderas, eleva los codos, apartándolos del pecho, y respira con la parte alta de la espalda (Figura 4C).

Mantén esta fase durante 30-60 segundos, respirando suavemente y sintiendo cómo se expande la parte superior de la espalda, cómo se ablandan los músculos situados en torno a la columna dorsal y las escápulas, y cómo los omóplatos mismos se ensanchan, separándose uno de otro con cada inspiración. Repite todo con el brazo izquierdo encima del derecho.

PÁGINA ANTERIOR:

Figura 4b
POSTURA SENTADA DEL ÁGUILA, FASE 2

Figura 4c
POSTURA SENTADA DEL ÁGUILA, FASE 3

Postura Sentada de la Vaca
GOMUKHASANA

▼ ▼ ▼ ▼ ▼ ▼ ▼ ABRE LAS ARTICULACIONES ESCAPULOHUMERALES
Y EL PECHO • ESTIRA LA MUSCULATURA DE LOS HOMBROS
Y DE LOS BRAZOS • LIBERA LA RESPIRACIÓN

PRACTICAR CON CUIDADO: En caso de lesiones de hombro, en especial del manguito de los rotadores.

ACCESORIOS: 1 silla • 1 correa

ACCESORIOS OPCIONALES: 1 cuña o 1 manta o 1 esterilla antideslizante • 1 segunda esterilla antideslizante

Empieza en Postura Sentada (Figuras 1A o 1B). Colócate una correa encima del hombro derecho, dejando que un extremo cuelgue a lo largo de la espalda. Alarga la columna, y extiende lateralmente los brazos en posición de T. Gira los brazos separándolos uno de otro, rotando internamente el brazo izquierdo y externamente el derecho, lo cual significa que la palma izquierda girará hacia atrás y la derecha hacia arriba, pero el movimiento debe iniciarse dentro de las articulaciones escapulohumerales, con las manos siguiendo en vez de guiando el movimiento. Continuando con la rotación de los brazos en direcciones contrarias, eleva el brazo derecho, estirando las puntas de los dedos hacia el techo mientras giras la palma hacia la línea media del cuerpo, y baja lateralmente el brazo izquierdo, girando la palma hacia atrás. Una vez que los brazos estén totalmente extendidos en direcciones opuestas, flexiona los codos, bajando la mano izquierda detrás de la cabeza y alargándola hacia abajo, en dirección a la parte superior de la espalda, y elevando la mano derecha por la columna.

Cuando las manos se alarguen una hacia la otra, agarra la correa desde cada extremo (Figura 5A).

Puedes avanzar paso a paso con las manos a lo largo de la correa hasta alcanzar un nivel cómodo de estiramiento, y si las puntas de los dedos son capaces de tocarse con comodidad, soltar la correa y agarrarte las manos, con la palma de la mano superior vuelta hacia la espalda y la inferior girada hacia fuera (Figura 5B). La mayoría de la gente necesitará usar la correa para aumentar el alcance de los brazos; así que no te fuerces para juntar las manos; si no se tocan, continúa usando la correa.

Mantén esta postura durante 30-60 segundos, mientras sigues alargando los codos en direcciones opuestas, sintiendo cómo se relaja la musculatura de los hombros al respirar. Suelta y coloca la correa sobre el hombro izquierdo (si lo necesitas) para repetir intercambiando la acción de los brazos.

FIGURA 5A
POSTURA SENTADA DE LA VACA, CON CORREA

FIGURA 5B
POSTURA SENTADA DE LA VACA

Postura Sentada de Extensión de Columna
SALAMBA MAKARASANA

▼ ▼ ▼ ▼ ▼ ▼ ▼ ▼ ▼ ESTIRA LA MUSCULATURA DE LOS BRAZOS, LOS HOMBROS Y EL PECHO • ALIVIA LA TENSIÓN DE LOS HOMBROS Y LA ESPALDA • CREA MOVILIDAD EN LA PARTE SUPERIOR DE LA ESPALDA • LIBERA LA RESPIRACIÓN • AUMENTA LA ENERGÍA

PRACTICAR CON CUIDADO: Coloca la silla con el respaldo apoyado en una pared o una mesa de trabajo, ¡para que no se vuelque hacia atrás si las patas delanteras se separan del suelo! Hay que practicar esta postura con cuidado en caso de lesiones de hombro o cuello.

ACCESORIOS: 1 silla • una pared o mesa de trabajo • 2 esterillas antideslizantes

ACCESORIOS OPCIONALES: 1 manta • 1 bloque de yoga

Coloca la silla con el respaldo apoyado en una pared, para estabilizarla. Dobla una esterilla sobre el asiento de la silla, de manera que cuelgue del borde anterior y lo acolche, y extiende la segunda esterilla en el suelo, con el borde corto justo delante de la silla. Sentándote en la esterilla del suelo, colócate directamente delante de la silla, pero dándole la espalda, de manera que la región dorsal se apoye contra el asiento. Conviene que pongas la columna torácica contra el respaldo, justo por encima de las puntas inferiores de las escápulas; si tienes la columna vertebral más corta, ponte una manta doblada debajo de los ísquiones para elevarte hasta la posición correcta. Agárrate las manos por detrás de la cabeza, con los dedos entrelazados y los codos bien abiertos.

Empieza arqueando la columna sobre el asiento de la silla, elevándola y cubriendo el asiento, en vez de tan sólo inclinarla hacia atrás, y apoya la cabeza en las manos mientras se atrasa hacia el asiento de la silla. Al profundizar en la extensión de columna, acerca entre sí los codos y alárgalos elevándolos hacia el techo, de manera que estés estirando hacia arriba desde los lados del pecho y los hombros hasta las puntas de los codos. Asegúrate de mantener la cabeza soportada en las manos, sosteniendo la base del cráneo en vez del cuello. Algunas personas prefieren tener más soporte para la cabeza, de manera que, si sientes en el cuello la mínima incomodidad, pon un bloque de yoga en la silla y, al descender hacia atrás la cabeza, se encontrará con el bloque para sostenerla, con las manos apoyadas contra el bloque y la cabeza apoyada, a su vez, en las palmas de las manos. El bloque tiene tres alturas y puede ajustarse para el nivel de soporte que te parezca adecuado para ti. A medida que entres en la extensión de columna, lo importante es realizarla elevándola y colocando la espalda sobre la silla en vez de simplemente inclinarla hacia atrás contra ella; si sientes que las patas anteriores de la silla empiezan a separarse del suelo, probablemente necesites ajustar tu posición a fin de que la silla te dé un poco más abajo, permitiéndote lograr esta acción de elevación y apoyo en el asiento de la columna y el pecho, presionando ligeramente hacia abajo sobre el borde anterior del asiento de la silla al extenderse la columna sobre él. Una vez que

FIGURA 6A
POSTURA SENTADA DE EXTENSIÓN DE COLUMNA

sientas esto, extiende la columna tanto como te parezca cómodo y respira, sintiendo cómo se aligeran los músculos de la espalda y cómo se expande y abre el pecho. (Figura 6A).

Para lograr una variante más complicada, pasa de esta postura a una apertura más profunda de los hombros manteniendo la columna en la misma posición, apoyando aún la cabeza atrás en las manos, pero abriendo los codos y apartándolos uno de otro, estirándolos lateralmente desde los hombros hasta las puntas de los codos, al separarse uno del otro y alargarse hacia los lados de la habitación (Figura 6B). Esta versión debe practicarse con mucho cuidado y evitarse totalmente en caso de lesiones de hombro.

Mantén esta posición y respira en ella durante 30-60 segundos. Para salir de la postura, mantén la cabeza soportada, usa los brazos para volver a alzarla a la postura sentada y erguida, y suelta después los brazos.

FIGURA 6B
POSTURA SENTADA DE EXTENSIÓN DE COLUMNA,
CON LOS CODOS ABIERTOS

Postura Sentada de Torsión de Columna
BHARADVAJASANA

▼ ▼ ▼ ▼ ▼ ▼ ESTIRA LA MUSCULATURA DE LA ESPALDA • ALIVIA LA TENSIÓN DE LOS HOMBROS Y LA REGIÓN DORSAL • ESTIRA EL FRENTE Y LOS LADOS DEL TRONCO • MEJORA LA POSTURA SENTADA Y LA RESPIRACIÓN

PRACTICAR CON CUIDADO: En caso de lesiones de hombro o cuello.

ACCESORIO: 1 silla

ACCESORIOS OPCIONALES: una pared o mesa de trabajo • 1 cuña o 1 manta o 1 esterilla antideslizante • 1 segunda esterilla antideslizante

Siéntate de lado en la silla, con el costado derecho mirando hacia el respaldo. Tendrás que cambiar de posición en la silla, así que, para añadir estabilidad, colocar el respaldo contra una pared o tu mesa de trabajo es una buena opción. Si lo necesitas, ponte un accesorio bajo los ísquiones para alzar la pelvis, igual que harías al mirar al frente en la Postura Sentada (Figura 1A). Aunque no necesites un alza bajo los ísquiones para soportar la columna, una esterilla antideslizante doblada colocada en el asiento es especialmente útil para esta postura, a fin de evitar que los ísquiones se deslicen por la silla mientras realizas la torsión. Pon los pies firmemente sobre la esterilla, separados a la anchura de las caderas, con los talones en la vertical de las rodillas, de manera que las espinillas estén perpendiculares al suelo. Si estás usando una esterilla en el suelo a fin de que te sirva de almohadilla para los pies, colócala de modo que, sentado de lado en la silla, puedas poner los pies sobre ella.

Siéntate bien erguido, alargando desde el coxis hasta la coronilla, y agárrate al respaldo con las dos manos, una a cada lado del mismo. Manteniendo alargada la columna y relajados los hombros, gira suavemente el tronco hacia la derecha (Figura 7). Usa las manos para ayudarte a guiar el movimiento, pero sin forzar. Siente la torsión empezando en la base de la columna y subiendo por ella en espiral, de manera que la cabeza sea lo último en girar, siguiendo, en vez de dirigiendo, el movimiento. Este movimiento debe producir una buena sensación, de manera que detente cuando llegues a un nivel cómodo de estiramiento y mantén ahí la posición respirando con naturalidad, durante 30-60 segundos. Mientras mantienes el estiramiento, imagina que la columna se alarga más con cada inspiración, y siente cómo, con cada espiración, el cuerpo se relaja penetrando más en la posición de torsión.

FIGURA 7
POSTURA SENTADA DE TORSIÓN
DE COLUMNA

Durante una espiración, vuelve a girar el tronco en la dirección de las rodillas. Una vez que la columna haya vuelto a una posición neutra, relajando totalmente la torsión, gira hacia el otro lado, y repite en la dirección contraria.

Postura Sentada de Enhebrar la Aguja

▼ ▼ ▼ ▼ ▼ ▼ ESTIRA LA MUSCULATURA LUMBAR Y LOS ROTADORES
DE LA CADERA • ALIVIA LA TENSIÓN DE LA PARTE INFERIOR DE LA
ESPALDA • SIRVE DE AYUDA CON LA MOVILIDAD DE LAS ARTICULACIONES
DE LA CADERA Y LA POSTURA SALUDABLE

PRACTICAR CON CUIDADO: En caso de lesiones lumbares.

ACCESORIO: 1 silla

ACCESORIOS OPCIONALES: 1 cuña o 1 manta o 1 esterilla antideslizante •
1 segunda esterilla antideslizante

Empieza en Postura Sentada (Figuras 1A o 1B). Pasarás de una posición erguida a una flexión de tronco, así que, si te parece que la silla podría resbalarse, colocarla con el respaldo apoyado contra una pared o la mesa de trabajo añadirá estabilidad. La practicaremos en dos fases.

Fase 1. Una vez sentado bien erguido, en una posición saludable y cómoda, con los pies firmemente apoyados sobre la esterilla, separados a la anchura de las caderas y paralelos entre sí, eleva el tronco desde las articulaciones coxofemorales. Mete suavemente el sacro (la base de la columna) hacia el ombligo, y alarga la columna al máximo. Luego cruza el tobillo derecho sobre el muslo izquierdo, apoyándolo en una posición flexionada justo por encima de la rodilla izquierda. Ponte las manos sobre las caderas y, manteniendo la cara anterior de la columna alargada y abierta y el tobillo derecho flexionado, empieza a inclinarte hacia delante (Figura 8A). El cuello debe también permanecer alargado, y la cabeza mantenerse en una posición neutra, continuando la línea de la columna, en vez de elevarse o descender desde los hombros. Manteniendo aún flexionado el tobillo derecho, deja que se relaje ese muslo, descendiendo atraído por la gravedad. Esto es importante: no empujes el muslo ni la rodilla hacia el suelo, sino deja, sencillamente que el fémur se relaje en el acetábulo y que la gravedad haga el trabajo de liberar la cadera, mientras tú continúas alargándote hacia delante desde los acetábulos. Respira hondo, mientras sientes cómo se liberan los músculos en torno a la articulación de la cadera derecha.

La primera fase puede que la sientas bastante intensa, especialmente para empezar, en cuyo caso basta con proseguir hasta que los músculos de la cadera se liberen un poco más. No pases a la siguiente fase hasta que la primera resulte cómoda. Si esta fase te parece suficiente, mantenla aquí durante 30-60 segundos. Para salir de ella, vuelve sencillamente a elevar el tronco a la posición vertical, manteniendo aún la columna alargada y la cabeza y el cuello en posición neutra mientras te alzas. Una vez el tronco esté erguido, pon la mano derecha debajo de la rodilla derecha y eleva la rodilla hacia ti antes de descruzar las piernas.

Fase 2. Cuando estés preparado, la siguiente fase es relajar los brazos sobre la espinilla derecha y bajarlos hacia el suelo (Figura 8B). Luego baja la cabeza, y deja que la columna se relaje también descendiendo. Haz esto

FIGURA 8A
POSTURA SENTADA DE ENHEBRAR LA AGUJA, FASE 1

sólo después de haber alargado hacia delante la cara anterior de la columna hasta el máximo que resulte cómodo; el movimiento hacia delante es el más importante. Al liberar la columna en esta segunda fase, añades más peso y gravedad al estiramiento de la cadera, y la sensación aumentará. Permanece en un nivel de intensidad que te parezca razonable para ti; la regularidad en los estiramientos es más importante que lo lejos que llegues en un estiramiento en particular, y tienes que ser capaz de relajarte en una posición de estiramiento para beneficiarte totalmente de él.

Mantén la postura, respirando con naturalidad, durante 30-60 segundos, aumentando progresivamente con el tiempo hasta 2 minutos, a medida que tu nivel de confort lo permita. Para salir de esta segunda fase, mantén relajados la cabeza y el cuello mientras vuelves con las manos a las caderas. Presiona contra el suelo con el pie izquierdo, y alarga la columna hacia delante mientras te alzas a una posición sentada completa, iniciando el movimiento con el esternón. Una vez la columna esté erguida, ponte la mano derecha debajo de la rodilla de ese mismo lado y álzala apartándola del suelo. Mientras la rodilla se eleva, soportada por la mano, es seguro y fácil descruzar la pierna y volver a poner el pie en el suelo. Repite por el segundo lado.

FIGURA 8B
POSTURA SENTADA DE ENHEBRAR LA AGUJA, FASE 2

Postura de Pie de Flexión de Tronco
EKA PADA SALAMBA UTTANASANA

▼ ▼ ▼ ▼ ▼ ▼ ▼ ▼ ▼ ESTIRA LA MUSCULATURA DE LA COLUMNA
Y LOS ROTADORES DE LA CADERA • ALIVIA LA TENSIÓN DE LA ESPALDA
Y DEL CUELLO • FAVORECE LA MOVILIDAD DE LAS ARTICULACIONES
DE LA CADERA Y LA POSTURA SALUDABLE

PRACTICAR CON CUIDADO: En caso de lesiones lumbares.

ACCESORIO: 1 silla

ACCESORIOS OPCIONALES: una pared • 1 ó 2 esterillas antideslizantes

Ponte de pie frente al lado del asiento de la silla. Tendrás que cambiar de posición en la silla, por lo que, para añadir estabilidad, puedes apoyar el respaldo contra una pared. Para lograr aún más estabilidad, trata de disponer una esterilla antideslizante debajo de la silla y otra doblada en el asiento. Si estás practicando contra la pared, apoya la mano derecha en ella para mantener el equilibrio.

Adelanta el pie derecho y ponlo en la silla. Las puntas de ambos pies deben estar mirando en la misma dirección que tú, en vez de hallarse girados hacia dentro o hacia fuera. Una vez te hayas equilibrado con el pie derecho en la silla, presiona con firmeza con ambos pies e inclínate después hacia delante y flexiona el tronco, dejando que la columna cuelgue sobre el muslo derecho y la cabeza descienda hacia el suelo en una profunda flexión (Figura 9). Mantén las caderas alineadas con la pierna de apoyo y tu peso equilibrado equitativamente entre las partes anterior y posterior del pie de apoyo, en vez de echarte atrás y apoyar tu peso sobre el talón. Presiona con el pie sobre la silla y relaja la cadera que se está estirando, dejando que la gravedad estire los músculos de la pelvis y de la espalda.

Si te resulta cómodo, los dos brazos pueden colgar hacia el suelo, aumentando el estiramiento en la espalda, los hombros y el cuello. Si el estiramiento es demasiado intenso o sientes que el equilibrio es poco firme, pon la mano derecha en la silla, por el interior del pie, lo cual reducirá el estiramiento y te servirá de ayuda con la estabilidad. En cualquiera de los dos casos, suelta el peso de la cabeza y siente la liberación de la musculatura del cuello mientras respiras suavemente y con naturalidad.

Mantén la postura durante 30-60 segundos. Para salir de ella, flexiona la pierna de apoyo, y vuelve a alzar la columna, vértebra a vértebra, hasta la posición erguida, con los brazos aún colgando y la cabeza en último lugar. Una vez haya vuelto a erguirse la cabeza, estira la pierna de apoyo, y baja y echa atrás los hombros. Cuando sientas que mantienes totalmente el equilibrio, vuelve a bajar el pie al suelo, y desplázate hasta el otro lado de la silla, dándole la vuelta, para repetir por el segundo lado.

FIGURA 9
POSTURA DE PIE DE FLEXIÓN
DE TRONCO

Postura Sentada de Flexión de Tronco
SALAMBA UTTANASANA

▼ ▼ ▼ ▼ ▼ ▼ ▼ ▼ ▼ ESTIRA LA MUSCULATURA DE LA COLUMNA
Y LA PELVIS • ALIVIA LA TENSIÓN DE LA ESPALDA Y DEL CUELLO •
FAVORECE LA MOVILIDAD DE LAS ARTICULACIONES DE LA CADERA
Y LA POSTURA SALUDABLE

PRACTICAR CON CUIDADO: En caso de lesiones lumbares.

ACCESORIO: 1 silla

ACCESORIOS OPCIONALES: una pared o mesa de trabajo • 1 cuña o 1 manta
o 1 esterilla antideslizante • 1 segunda esterilla antideslizante • 2 bloques de yoga

Adopta la Postura Sentada mirando al frente (Figuras 1A o 1B). Para mejorar
la estabilidad, puedes poner la silla con el respaldo apoyado contra una pared
o una mesa de trabajo.

Pon los pies firmemente en el suelo, poco más separados entre sí que las
caderas, de manera que estén justo por fuera de las patas de la silla. Con las
rodillas en la vertical de los talones, gira las puntas de los pies levemente hacia
fuera. Pon las manos sobre la parte media del muslo y estírate hacia delante,
alargando la cara anterior de la columna y estirando la coronilla delante de ti.
Después, presionando con los pies, relaja la columna, dejando caer la cabeza
hacia el suelo y que la caja torácica y los brazos se relajen entre las piernas
(Figura 10). Si las manos llegan al suelo, déjalas apoyadas allí, manteniendo
el cuello, los hombros y los codos completamente relajados. Si las manos no
llegan fácilmente al suelo, coloca bloques debajo de las manos, separados a la
anchura de los hombros, de manera que la espalda tenga algo de apoyo desde

abajo al relajar los hombros, los brazos y las manos. Sigue presionando con los pies en el suelo para mantener el equilibrio, y relaja las aticulaciones coxo-femorales, respirando suavemente y con naturalidad.

FIGURA 10
POSTURA SENTADA DE FLEXIÓN DE TRONCO

Mantén esta postura durante 30 segundos como mínimo y hasta un máximo de 2 minutos. Para salir de ella, mantén relajados el cuello y la cabeza mientras vuelves a poner las manos sobre las piernas. Asegúrate de que las manos estén en el centro de los muslos, para evitar empujar sobre las rodillas. Presiona contra las manos y los pies para volver a incorporarte a la posición erguida, dejando que el cuello permanezca relajado y con la cabeza siguiendo el movimiento, en vez de iniciarlo.

Este estiramiento debe producir una buena sensación. Puede repetirse a menudo durante todo el día.

Estiramientos de Cuello en Posición Sentada

▼ ▼ ▼ ▼ ▼ ▼ ▼ ▼ ▼ ▼ ESTIRAN LA MUSCULATURA DEL CUELLO,
LOS HOMBROS Y LA PARTE SUPERIOR DE LA ESPALDA •
ALIVIAN LA TENSIÓN DEL CUELLO Y LOS HOMBROS • CALMAN
LOS DOLORES DE CABEZA

PRACTICAR CON CUIDADO: En caso de lesiones de cuello.

ACCESORIO: 1 silla

ACCESORIOS OPCIONALES: 1 cuña o 1 manta o 1 esterilla antideslizante •
1 segunda esterilla antideslizante

Estiramiento lateral del cuello. Adopta la Postura Sentada (Figuras 1A o 1B).
Manteniendo la columna alargada y sostenida y mirando al frente, relaja el

DE IZQUIERDA A DERECHA:
FIGURA 11A
ESTIRAMIENTO LATERAL DEL CUELLO
FIGURA 11B
ESTIRAMIENTO LATERAL DEL CUELLO,
CON LOS BRAZOS A LOS LADOS
FIGURA 11C
ESTIRAMIENTO LATERAL DEL CUELLO,
CON EL BRAZO SOBRE LA CABEZA

cuello y deja que la cabeza descienda a la derecha, como si fueras a bajar la oreja derecha hasta tocar el hombro (Figura 11A). Mantén los hombros relajados y el pecho elevado y abierto, y deja que el peso de la cabeza estire los músculos situados a lo largo del lado izquierdo del cuello y la parte superior del hombro, mientras la cabeza sigue relajándose hacia la derecha.

Si el peso de la cabeza produce una buena sensación de estiramiento, mantén las manos colocadas sobre las piernas con delicadeza. Para lograr un estiramiento más profundo, los brazos pueden descender a los lados y colgar de los hombros (Figura 11B). Para aumentar aún más el estiramiento, mantén el brazo derecho colgando, pero levanta el izquierdo y disponlo sobre el lado derecho de la cabeza, para que su peso aumente ligeramente el estiramiento (Figura 11C).

Unas cuantas advertencias que tener presentes si eliges esta última opción: mantén relajado el hombro izquierdo, teniendo cuidado de no contraer ni levantar los músculos del hombro al alzar el brazo; mantén elevado el pecho y la columna centrada y vertical, en vez de inclinarte hacia la derecha; y, lo más importante, no tires del cuello con el brazo, sino deja sencillamente que

aquél se apoye suavemente sobre el lado de la cabeza. Para lograr mejores resultados, presiona suavemente entre sí el lado de la cabeza y el brazo. Esto se conoce como estiramiento isométrico.

Mantén el estiramiento durante 30-60 segundos, respirando con consciencia y sintiendo cómo se sueltan los músculos estirados. El cuello es delicado, así que sé especialmente sensible al estirar su musculatura; siempre debe sentirse como una grata sensación de estiramiento no muy intensa. Para salir del estiramiento, baja primero el brazo si lo has levantado. Mantén la cara hacia delante mientras vuelves a alzar la cabeza hasta el centro, como si la oreja derecha estuviera tirando de ella para volver a subirla. Espera hasta sentir el cuello relajado y en posición neutra de nuevo antes de repetir este estiramiento hacia el otro lado.

Estiramiento del cuello hacia delante. Después de haber estirado ambos lados, puedes también estirar la nuca dejando caer la cabeza hacia delante, y tratando de apoyar la barbilla en el pecho (Figura 11D). También en este caso, mientras lo haces mantén la columna alargada y el pecho elevado y abierto. Al bajar la cabeza, sentirás un estiramiento a lo largo de la nuca y probablemente

también a lo largo de la parte alta de la espalda. Si sientes un buen estiramiento con el peso de la cabeza, es señal de que estás haciendo suficiente y debes mantener de nuevo los brazos relajados. Para profundizar el estiramiento en esta fase de flexión plena del cuello, coloca suavemente las manos sobre la parte posterior del cráneo, entrelazando los dedos (Figura 11E). Asegúrate de que las manos estén sobre el cráneo, no sobre la nuca, y mantén los codos abiertos y estirando lateralmente hacia el exterior, en vez de descendiendo hacia el suelo. Evita tirar del cuello; nuevamente, puedes presionar entre sí la parte posterior del cuello y las manos, isométricamente. Respira con la parte superior de la espalda, mientras mantienes este estiramiento durante 30-60 segundos.

Para salir del estiramiento, vuelve primero a bajar las manos hasta tu regazo, si las has colocado detrás de la cabeza. Luego vuelve a levantar la cabeza con cuidado. Puedes presionar ligeramente con las manos, pero mantén los brazos y el hombro relajados, y sigue mirando hacia abajo mientras la parte posterior del cráneo se yergue. Cuando la cabeza esté vertical, permanece sentado unos momentos, respirando aún suavemente y con consciencia, hasta volver a sentir el cuello relajado y en posición neutra. Puede servirte de ayuda mover la cabeza con mucha ligereza, tanto hacia arriba y abajo como de lado a lado (como si estuvieras diciendo muy delicadamente con ella sí y no).

PÁGINA ANTERIOR:
FIGURA 11D
ESTIRAMIENTO DEL CUELLO HACIA DELANTE
FIGURA 11E
ESTIRAMIENTO DEL CUELLO HACIA DELANTE, CON LOS DEDOS
ENTRELAZADOS

Postura Sentada del León

SIMHASANA

▼ ▼ ▼ ▼ ▼ ▼ ▼ ▼ ▼ ▼ ESTIRA LA CARA Y LA MANDÍBULA •
MEJORA LA RESPIRACIÓN Y LA ENERGÍA • ALIVIA LOS DOLORES
DE CABEZA

PRACTICAR CON CUIDADO: Si no se dispone de oficina privada, sería mejor
practicar este asana en casa.

ACCESORIO: 1 silla

ACCESORIOS OPCIONALES: 1 cuña o 1 manta o 1 esterilla antideslizante •
1 segunda esterilla antideslizante

Empieza en Postura Sentada (Figuras 1A o 1B). Relaja la cara, cierra los ojos si
te apetece, y deja que también se relaje la respiración.

Ponte las manos en las rodillas y, manteniendo recta la columna, inclínate
ligeramente hacia delante y saca pecho, estirando los brazos y arqueando con
cuidado la espalda. Deja que la cabeza se incline hacia arriba, pero no contrai-
gas ni acortes la nuca; mantén una sensación de espacio en la base del cráneo,
en el punto en que se une con la columna.

Mientras elevas la cabeza y el pecho, deja los ojos abiertos y baja ligeramente la vista, concentrándola en la punta de la nariz. Realiza una inspiración
profunda por la nariz, y luego abre la boca lo más posible, saca la lengua y
estírala hacia la barbilla (Figura 12). Mientras espiras por la boca, deja escapar
el sonido que quiera salir de ella. Éste es el rugido del león.

Repite este ejercicio entre 3 y 5 veces, dejando que el volumen del sonido vaya aumentando paulatinamente. Cuanto más abierta tengas la boca y más saques la lengua, mayor será la relajación. Aunque al principio pueda parecer algo estúpido, después te sentirás renovado. Este ejercicio es una excelente manera de aliviar tanto la tensión muscular como el estrés mental. Nota hasta qué punto se sienten mucho más relajados los músculos de la cara y la mandíbula después de la Postura del León; aunque antes no fueras consciente de tener tanta tensión en ellos, sin duda notarás la diferencia, como si empezaran a liberarse.

Después de la última repetición, relaja los brazos y la cara, y deja que la columna vuelva a una posición neutra, con la coronilla en la vertical del coxis. Deja que se relaje la respiración hasta recuperar un ritmo normal, y siéntate en silencio unos momentos, antes de pasar al siguiente ejercicio o asana, o volver a trabajar.

FIGURA 12
POSTURA SENTADA DEL LEÓN

Postura del Perro con una Silla
SALAMBA ADHO MUKHA SVANASANA

▼ ▼ ▼ ▼ ▼ ▼ ▼ ▼ ▼ ESTIRA LOS MÚSCULOS DE LAS PIERNAS, LA ESPALDA Y LOS HOMBROS • LIBERA TENSIÓN DE LOS HOMBROS Y LA ESPALDA • CREA LA MOVILIDAD NECESARIA EN LAS ARTICULACIONES DE LA CADERA PARA SOSTENER UNA POSTURA SENTADA SALUDABLE

PRACTICAR CON CUIDADO: En caso de lesiones de isquiotibiales, lumbares u hombro.

ACCESORIOS: 1 silla • 1 pared o mesa de trabajo

ACCESORIOS OPCIONALES: 2 esterillas antideslizantes

Por razones de estabilidad, dispón el respaldo contra una pared o mesa de trabajo. Algunas personas prefieren usar una esterilla para esta postura y a otras les gusta practicarla directamente en el suelo, especialmente si llevan zapatos. Si optas por usar esterilla, colócala delante de la silla, con el extremo corto hacia ella. De cualquiera de las dos maneras, puedes quitarte los zapatos para mayor comodidad.

Ponte de pie delante de la silla y flexiona el tronco, colocando las manos en el borde anterior del asiento, con las palmas bien apoyadas. Si la silla es resbaladiza, o si tienes molestias en las muñecas, puede servir de ayuda colocar sobre el asiento una esterilla antideslizante doblada. Para ayudar a reducir la sensación en las muñecas, coloca la base de las manos en el borde de la esterilla doblada, de manera que queden más altas que los dedos, lo cual reduce el ángulo en las articulaciones de las muñecas.

Con los pies separados entre sí la anchura de las caderas, retrocede hasta que los brazos estén estirados y los talones se encuentran debajo o ligeramente por detrás de las caderas, dependiendo de lo que sientas mejor. Mientras alargas la columna, mantén los talones bien asentados en el suelo y el cuello relajado, con la cabeza colocada cómodamente entre los brazos (Figura 13). Mantén este estiramiento durante 30-60 segundos, respirando suavemente, mientras atrasas los fémures, presionándolos contra los isquiotibiales, elevas y atrasas las caderas, apartándolas de las manos, y estiras el coxis, separándolo de la coronilla. Para salir de la postura, camina hacia la silla antes de incorporarte.

Puedes practicar este estiramiento a menudo durante todo el día. Puede que lo sientas en los hombros y los lados del pecho, así como en los isquiotibiales y los gemelos. Si tienes muy rígidos los isquiotibiales, especialmente si eres alto, puede que te parezca mejor dar la vuelta a la silla y usar el respaldo para apoyarte, en vez del asiento, o utilizar tu mesa de trabajo en vez de una silla. Te conviene encontrar la altura correcta para las proporciones y flexibilidad de tu cuerpo.

FIGURA 13
POSTURA DEL PERRO
CON UNA SILLA

Postura de Relajación con las Piernas Elevadas
VIPARITA KARANI

▼ ▼ ▼ ▼ ▼ ▼ ▼ ▼ ▼ MEJORA LOS SISTEMAS CIRCULATORIO, NERVIOSO E INMUNE • RELAJA LOS MÚSCULOS DE LA REGIÓN LUMBAR • REDUCE EL ESTRÉS • AUMENTA LA CLARIDAD MENTAL Y LA ATENCIÓN

PRACTICAR CON CUIDADO: No practicar esta postura si resulta dolorosa para la región lumbar o después de la decimoséptima semana de embarazo. Durante la menstruación, las mujeres deben practicar la versión con silla.

ACCESORIOS: 1 esterilla antideslizante • 1 silla o una pared • 1 ó 2 mantas • 1 almohada • 1 temporizador

ACCESORIO OPCIONAL: 1 cuña

Es de esperar que te sientas tranquilo y relajado después de practicar esta postura. ¡El reto es conservar parte de esta sensación al volver al ordenador!

Con una silla. Pon la esterilla delante de la silla, con el extremo corto de aquélla en dirección a ésta. Extiende la manta sobre la esterilla, si prefieres apoyar la columna en algo más mullido. Dobla la segunda manta por la mitad y tenla cerca. Fija en el temporizar el tiempo que quieras relajarte: como mínimo 5 minutos, aunque lo ideal es de 10 a 15.

Túmbate de espaldas en la esterilla, con los ísquiones cerca de la silla y las pantorrillas apoyadas en el asiento. Acércate la silla, de manera que la cara posterior de las rodillas esté totalmente apoyada sobre el borde del asiento. Ponte una almohada dura debajo del cuello y la cabeza. Relaja los brazos, con las manos apoyadas en la caja torácica o en el suelo a los lados, con las palmas vueltas hacia arriba, lo que sientas más cómodo (Figura 14A). Esta posición suele ser muy calmante y cómoda para la región lumbar; pero, si tienes un problema o lesión de espalda que te provoque molestias en esta postura, puede aliviarse colocando una cuña debajo del sacro, con el borde fino dirigido hacia el tronco, de manera que el coxis se apoye en el borde más grueso y se incline así hacia arriba, en dirección a las rodillas. Cuando estés cómodo, cierra los ojos.

Mientras dejas que el peso de tu cuerpo se relaje en el suelo, dirige tu consciencia a la respiración. Observar tu respiración, como en Consciencia Respiratoria (ver pág. 68), te ayuda tanto a relajarte como a centrarte. Al relajarte, puedes dejar poco a poco de observar tu respiración y dejar la mente en blanco. Pero si esto te resulta difícil, vuelve con la mente periódicamente a la respiración, para que no se deje arrastrar por los pensamientos, ni corra desbocada tras ellos.

FIGURA 14A
POSTURA DE RELAJACIÓN CON LAS PIERNAS ELEVADAS,
CON UNA SILLA

Cuando suene el temporizador, si estás listo para salir de la postura, aprovecha una inspiración para acercar las rodillas al pecho. Abraza suavemente las piernas contra el cuerpo, y haz aquí una pausa durante unos cuantos ciclos respiratorios más. Luego, aprovechando una espiración, gírate de lado y vuelve a hacer una pausa aquí durante unos momentos más en calma. Cuando te sientas listo, incorpórate, usando el apoyo de uno o de los dos brazos, dejando que la cabeza sea lo último en elevarse. Bajar la vista al suelo ayuda a evitar que el movimiento se inicie con la cabeza y el cuello.

En la pared. En esta versión, se usa la pared en vez de una silla. Pon la esterilla perpendicular a la pared y extiende una manta sobre la esterilla para que sea más mullida, si lo deseas. Dobla la segunda manta en tres o usa una almohada dura, y ponla hacia el extremo de la esterilla, a entre 2 y 5 cm de la pared. Fija en el temporizador el tiempo que quieras relajarte.

Siéntate de lado en la almohada o la manta doblada, con un costado vuelto hacia la pared. Te deslizarás lateralmente sobre la espalda para elevar las piernas sobre la pared y apoyar la región lumbar en el soporte de la almohada. Esto puede resultar incómodo al principio y exige un poco de aprendizaje, pero se volverá fácil con la práctica. Empieza echándote atrás hacia el suelo mientras acercas el lado de la cadera lo más posible a la pared. Al echarte atrás y apoyarte en los codos, empieza a pivotar la pelvis, manteniéndola lo más cerca de la pared que puedas mientras te mueves, y balanceas las piernas para apoyarlas en la pared, estirándolas desde la almohada. Mientras lo haces, puedes apoyar la cabeza en la esterilla (Figura 14B).

Los ísquiones no tienen que estar en contacto con la pared, ya que la comodidad es la clave de esta postura, y puedes alejarte tanto de la pared como te parezca bien para tu cuerpo, quizás apoyando tan sólo los talones en la pared en vez de toda la pierna. Lo más importante es que no sientas que te deslizas saliéndote de la almohada o manta hacia la cabeza. Asegúrate de que la región lumbar esté firmemente apoyada, y deja que el coxis descienda ligeramente sobre el borde de la almohada, hacia la pared. Ajusta la distancia desde la pared, de manera que se encuentre lo bastante cerca para que la región lumbar esté cómoda, pero tan apartada que haya poca o ninguna sensación o estiramiento en los isquiotibiales. Si el estiramiento de isquiotibiales aumenta al mantener la postura, apártate un poco de la pared de manera que conserves la comodidad y la relajación. El objetivo de este asana es soltarse y relajarse, así que, en la medida de lo posible, te conviene eliminar distracciones, incluyendo la sensación de estiramiento muscular. En casos de molestias lumbares, retira la manta y apoya la espalda bien pegada al suelo, en vez de elevando la pelvis. Si se necesita más soporte para que la región lumbar esté cómoda, usa la cuña, según se describe en la versión con silla. Encuentra en esta postura una posición muy cómoda y relajada, y luego cierra los ojos y continúa como para la versión con silla.

FIGURA 14B
POSTURA DE RELAJACIÓN CON LAS PIERNAS ELEVADAS,
EN LA PARED

Consciencia Respiratoria y Meditación
SAMA VRTTI Y DHYANA

▼ ▼ ▼ ▼ ▼ ▼ ▼ ▼ ▼ ▼ REDUCE EL ESTRÉS Y LA ANSIEDAD •
MEJORA LA RESPIRACIÓN, LA ENERGÍA Y LA CLARIDAD MENTAL

PRACTICAR CON CUIDADO: En casos de ansiedad o depresión dejar la práctica si se presenta o aumenta la ansiedad.

ACCESORIOS: 1 silla o 1 esterilla antideslizante

ACCESORIOS OPCIONALES: 1 cuña o 1 manta o 1 esterilla antideslizante •
1 segunda esterilla antideslizante • 2 bloques de yoga o mantas • una pared
• un temporizador

Se puede practicar este ejercicio en Postura Sentada (Figura 15 A) o, si resulta cómodo, sentado en el suelo en Postura del Ángulo Ligado (Figura 15B) o en cualquier posición con las piernas cruzadas que resulte fácil. (En las págs. 31 y 94 se encontrarán instrucciones sobre cómo practicar las posturas según se ilustra.)

Elijas la posición que elijas, asegúrate de que sea cómoda tanto para tu espalda como para tus rodillas. Si estás en el suelo, puede servirte de ayuda colocarte debajo de los ísquiones una cuña, una manta bien doblada o una esterilla antideslizante plegada como para la Postura Sentada en una silla; bloques de yoga o mantas dobladas colocados debajo de cada rodilla pueden también hacer que sentarse en el suelo resulte más cómodo. Asimismo, está bien usar una pared para apoyar la espalda, siempre y cuando uno se siente lo bastante cerca de la pared para evitar desplomarte contra ella.

Ya estés en una silla o en el suelo, siéntate con la espalda alargada, y ponte las manos en los muslos, dejando que los brazos y los hombros se relajen y desciendan. Comprueba tu alineación: los hombros deben estar en la vertical de las caderas y la coronilla en la del coxis. Una vez te sientas equilibrado y alineado, cierra los ojos, manteniendo alargada la columna mientras te relajas desde tu interior. Cierra la boca y relaja la cara, respirando por la nariz.

Consciencia Respiratoria. Interioriza tu consciencia, y deja que la mente empiece a relajarse y centrarse en la respiración. Al principio, no hagas nada para cambiar o controlar la respiración, sino simplemente sintoniza con la consciencia y observa el fluir natural de la respiración entrando y saliendo del cuerpo. Esto suele ser mucho más difícil de lo que parece, ya que la mente está diseñada para pensar y tiende a divagar con tus pensamientos. Aprender a mantener la atención en la respiración es un tipo de entrenamiento mental que exige práctica, pero con él vienen aparejados los beneficios del aumento de concentración y claridad. Así que, cada vez que notes que la mente se aparta

FIGURA 15A
CONSCIENCIA RESPIRATORIA EN POSTURA
SENTADA

FIGURA 15B
CONSCIENCIA RESPIRATORIA EN POSTURA
DEL ÁNGULO LIGADO

de la respiración, devuélvela a ella con suavidad. No te enfades contigo mismo, por muchas veces que esto ocurra. Se trata tanto de la lección como de la práctica de la presencia mental.

A medida que adquieras más práctica en observar la respiración, una herramienta útil es poner las manos sobre el cuerpo para dirigir la respiración a distintas zonas, lo cual ayuda a abrir los pulmones para aumentar la capacidad respiratoria y también ofrece a la mente una tarea específica en la que centrarse, aumentando el aspecto de concentración de este ejercicio. Al poner las manos sobre el abdomen, puedes enviar la respiración hacia abajo, hasta la porción inferior de los pulmones, y sentir cómo el abdomen se expande y se relaja suavemente durante unas cuantas respiraciones. Luego coloca las manos sobre la parte baja de la espalda. La parte posterior del cuerpo a menudo no recibe mucha respiración, y es posible que, al enviarla allí, las sensaciones y movimientos te parezcan poco familiares. Desplaza después las manos a los lados de la caja torácica, y siente cómo los pulmones se ensanchan hacia el exterior desde la columna, al penetrar la respiración en los costados y la porción media de los pulmones. Trata de sentir cómo recibe también la respiración el diafragma, situado justo detrás del plexo solar (donde las costillas flotantes se juntan bajo el pecho). Después, cruza los brazos sobre el pecho y coloca las manos en los lados del mismo, por el interior de los brazos. Al desplazar el aliento a las manos, sentirás cómo la respiración sube arriba de los pulmones, abriéndose hacia los costados, pero también expandiéndose en la parte superior de la espalda, bajo las escápulas y entre ellas. Por último, apoya las yemas de los dedos en la parte superior del pecho, justo debajo de las clavículas, y nota cómo la respiración penetra en la zona más alta de los pulmones, sintiendo cómo se conecta con las clavículas, mientras diriges sin forzar la respiración hacia el contacto de las manos.

Permanece en cada fase durante al menos 1 ó 2 minutos, y observa a qué zonas fluye la respiración con facilidad y naturalidad y qué sitios se sienten más constreñidos o se resisten más a recibir la respiración (qué vías, en otras palabras, recorre con menor frecuencia el sistema respiratorio). Según Dennis Lewis, autor de *El tao de la respiración natural,* la capacidad de los pulmones humanos es de unos 5.000 mililitros, ¡pero la cantidad media de aire en cada respiración que realizamos es tan sólo de 500! Así que, para la mayoría de nosotros, muchas zonas de los pulmones, y los correspondientes músculos que las soportan, están infrautilizados. Es bastante típico respirar habitualmente con el abdomen o con el pecho, descuidando las demás partes de los pulmones. Las personas con formación vocal o musical normalmente han aprendido técnicas de respiración diafragmática. Uno de los beneficios de los asanas es abrir las zonas infrautilizadas y aumentar de manera natural la capacidad respiratoria que empleamos. Ésta es una de las razones fundamentales por las que practicar yoga es vigorizante: fisiológicamente, el yoga aumenta verdaderamente la cantidad de oxígeno que nuestras células reciben con cada respiración. Aunque sea sano aumentar el consumo de oxígeno, es algo que debe ocurrir gradualmente, con el tiempo, porque el cuerpo puede integrar sólo unos cuantos cambios de una vez. A medida que nuevas zonas de los pulmones se abran más plenamente, podemos experimentar cierta sensación de estiramiento en el tejido muscular circundante, pero esto debe resultar grato en vez de intenso o doloroso. Por eso no hay que forzar al hacer este ejercicio, sino seguir respirando con suavidad y buscar un nivel cómodo, en vez de máximo, de expansión de los pulmones.

Este ejercicio entero puede hacerse en menos de 10 minutos, aunque está bien tomarse más tiempo, siempre y cuando sea cómodo tanto física como mentalmente. Si ves que te pones tenso o ansioso, es mejor dejar de intentar controlar la respiración y volver a observar simplemente, o salir totalmente de la postura. Cuando hayas terminado de explorar la apertura de las distintas zonas de los pulmones, vuelve a apoyar las manos en el regazo, deja que la respiración se relaje volviendo a su estado natural, y reanuda la observación tranquila de tu respiración durante otros pocos minutos. Dependiendo de cómo te sientas, puedes acabar aquí este ejercicio, o bien pasar a una fase final de meditación durante unos minutos más.

Meditación. La Consciencia Respiratoria es una introducción a pranayama, parte del yoga que consiste en aprender a controlar conscientemente la respiración. Pranayama también sirve para preparar el sistema nervioso y la mente para la meditación. Al practicar la observación de la respiración, se activa el sistema nervioso parasimpático, más relajado que el simpático, y se entrena a la mente a centrarse de una manera en particular, a volverse simultáneamente más tranquila y más consciente. El siguiente paso es cambiar de la meditación centrada en la respiración a la meditación general, o *dhyana*. Aunque existan numerosos y variados métodos de meditación, la intención de prácticamente todos ellos es aprender a estar más plenamente presente en el momento.

Para empezar a practicar meditación básica, desplaza simplemente la atención de la respiración a observar la actividad de la mente. La meditación a menudo se define como "vaciar la mente", pero, más que tratar de cerrar la mente o clausurar los pensamientos, normalmente es más efectivo abrir la mente y observar los pensamientos que entran en ella como parte de su proceso natural, generando un sentido general de consciencia. La clave es aprender a observar los pensamientos y volver a soltarlos, de manera muy parecida a como previamente observabas y soltabas cada respiración. Observar las ideas pasar en vez de dejarse atrapar por ellas es lo que convierte a esta práctica en meditación en vez de en pensamiento. Al practicar esta técnica, cualquier cosa que notes acerca de lo que estás sintiendo en el momento forma parte del proceso meditativo. La idea es estar presente y observar tu experiencia momento a momento, aceptando la respuesta de la mente como parte de la experiencia y resistiéndote al impulso de pasar a juzgar o a analizar. Éste no es un estado que le ocurra naturalmente al cerebro humano, y suele requerir mucha práctica. Comienza con tan sólo 2 ó 3 minutos, y ve aumentando a períodos de tiempo más largos, a medida que te sientas preparado. Los estudios demuestran que una sesión de meditación de 10 a 20 minutos, cuando se practica con regularidad, puede tener unos beneficios mentales y fisiológicos profundos.

Cuando estés listo para dejarlo, vuelve primero a dirigir tu atención al cuerpo, y nota cómo te sientes físicamente. Conviene que te sientas bien arraigado en la tierra después de la meditación, así que nota en especial el contacto de los pies con el suelo y de los ísquiones con la silla o el suelo, y presiona con cuidado hacia abajo con ambos para crear un contacto más firme con el suelo. Cuando estés listo, abre sencillamente los ojos. Luego siéntate con tranquilidad unos momentos y tómate tu tiempo antes de volver al ordenador. Cuando lo hagas, trata de conservar la energía tranquila y consciente de la meditación y observa cómo eso afecta a tu sensación de bienestar, y posiblemente incluso a tu productividad, mientras transcurre la jornada.

Fijar un temporizador para estos ejercicios te ayudará a controlar el tiempo y te permitirá tener cerrados los ojos hasta estar listo para salir de la meditación. Trata de convertir al menos unos minutos de respiración y meditación en parte de tu rutina diaria normal. Aunque pueda ser difícil convertir en una prioridad "no hacer nada", nuestro cerebro y nuestro cuerpo necesitan desesperadamente este tiempo sin hacer nada regularmente para mantenerse sanos. Una práctica de meditación es un paso hacia recuperar el equilibrio en tu vida, y hay grandes beneficios de salud en dejar que el sistema nervioso se relaje profundamente, incluyendo el fortalecimiento del sistema inmunológico. El aumento de capacidad respiratoria se traduce en incremento de la energía, y después de estas prácticas deberías sentirte tanto renovado como relajado.

Tercera parte

Yoga sin el ordenador delante

▼ ▼ ▼ ▼ ▼ ▼ ▼ ▼ ▼ ▼ ▼ ▼ ▼ ▼ ▼ ▼

Práctica específica de yoga para personas que pasan muchas horas al día ante el ordenador

Además de las pausas para realizar estiramientos que te tomes durante la jornada laboral o durante el tiempo dedicado al ordenador, un programa de yoga completo incluye algo de práctica exclusiva, totalmente apartado del ordenador. Practicar en casa ofrece mayor intimidad y flexibilidad, permitiendo incluir más asanas, y redondear así la práctica. Aunque puedas hacer yoga siempre que encuentres o te hagas un rato libre, los momentos ideales para la práctica personal son nada más levantarse por la mañana o después de otros tipos de ejercicio, y al final de la jornada, al realizar la transición del trabajo a tu casa. Esto es aplicable aunque se trabaje en casa; la práctica de yoga puede proporcionar un cambio efectivo y saludable entre la concentración del trabajo y el ocio.

El gran beneficio de practicar a primera hora de la mañana es que te prepara para una jornada de concentración y llena de energía. Después de una sesión matinal de yoga, se tendrá mayor claridad mental y una mente más productiva, y la respiración estará más liberada y será más completa, lo cual es, a la vez, vigorizante y relajante. Algo que se aprende del yoga es que la energía y la relajación son complementarias, no contradictorias, y al unirse producen una situación de equilibrio. Sobre todo, serás más consciente de tu cuerpo, más proclive a hacer ajustes ergonómicos (aquellos que potencian al máximo la comodidad y la seguridad al sentarse ante el ordenador) sin mucho esfuerzo consciente, y más propenso a notar cuándo tienes que tomarte un descanso y hacer algunos contramovimientos para mantenerte en equilibrio. Asimismo, a primera hora de la mañana se tiene el estómago vacío, lo cual es ideal para el yoga. Aunque la mayoría de los ejercicios de este libro no requieran tener el estómago totalmente vacío, siempre es más fácil para el cuerpo hacer ejercicio cuando la energía no está desviada al sistema digestivo, y una práctica más profunda de yoga incluye ejercicios que es mejor no realizar después de comer. Practicar antes del desayuno también puede ayudar a mejorar la digestión y el metabolismo.

Si incluyes otras formas de ejercicio en tu programa de cuidados personales (y es estupendo si lo haces, cuanto más variados, mejor), otro momento excelente para incorporar algo de yoga en tu vida es inmediatamente después de una sesión de correr, nadar, montar en bicicleta o volar con ala delta. Estirar los músculos cuando todavía están calientes por haberlos empleado vigorosamente es importante y beneficioso por varias razones. En primer lugar, ayudará a evitar que se tensen excesivamente como consecuencia de la contracción repetitiva inherente a prácticamente todas las formas de ejercicio aeróbico. Los músculos flexibles y equilibrados no tiran tanto del esqueleto, lo cual mantiene las articulaciones equilibradas y mucho menos propensas a lesiones. En segundo lugar, los músculos calientes se estiran con mayor facilidad y más plenamente, por lo que éste es el momento ideal para trabajar sobre la mejora de la amplitud o rango de movimiento; al respecto no es tan efectivo retrasar a una práctica de yoga posterior los estiramientos que siguen a la sesión de ejercicio. Por último, seguir una sesión de trabajo agotadora con estiramientos y relajación crea una experiencia física óptima para lograr tener sanos y equilibrados el organismo y el sistema nervioso.

La práctica de yoga también sirve como maravillosa transición del trabajo a casa, o incluso entre el tiempo laboral con el ordenador y la navegación personal por Internet. A menudo tenemos hábitos o incluso adicciones que nos ayudan a desconectar al final de la jornada. Establecer la rutina de una breve sesión de yoga o de relajación para ayudar a realizar esta función —antes de servirse un vaso de vino o una bolsa de patatas fritas, o de buscar el mando a distancia del televisor— puede reducir o incluso eliminar la necesidad de esas muletas y darnos la opción de elegir más libremente cómo satisfacer nuestras necesidades. Incluso cinco minutos de meditación o una de las posturas de relajación (tales como la Postura de Relajación con las Piernas Elevadas o la Postura de Soltar) puede facilitar la desconexión con el trabajo y la entrada en la vida personal. Si se añaden de antemano unos cuantos estiramientos, es probable que uno se sienta capaz de entrar en la jornada vespertina sintiéndose más renovado y plenamente presente.

Más posturas: sin el ordenador delante

Postura de Estiramiento Lateral de Pie
ARDHA URDHVA HASTASANA

▼ ▼ ▼ ▼ ▼ ▼ ▼ ▼ ▼ ▼ ▼ ABRE LOS HOMBROS Y ALIVIA
LA TENSIÓN EN ELLOS • ESTIRA LOS MÚSCULOS INTERCOSTALES •
MEJORA LA RESPIRACIÓN Y LA ENERGÍA

PRACTICAR CON CUIDADO: En caso de lesiones de hombro.

ACCESORIO: una pared

ACCESORIO OPCIONAL: 1 esterilla antideslizante

Ponte de pie con el costado derecho vuelto hacia la pared, los pies próximos y paralelos entre sí, y el pie derecho a pocos centímetros de la misma. A muchas personas les gusta usar una esterilla para las posturas de pie, en vez de ponerse de pie sobre moqueta, una alfombra, o el suelo sin más; si prefieres una esterilla, dispón el extremo corto contra la pared. Apoya en ésta la cadera derecha, y estira a lo largo de la pared el brazo derecho, apoyando todo ese costado contra la misma, desde la cadera hasta las puntas de los dedos. Al alargar la mano sobre la pared, mantén el brazo bien pegado a la oreja o un poco por delante de ella, en vez de dejarlo que retroceda hasta detrás de la cabeza. Para conseguir un mayor estiramiento, puedes girar levemente el pecho, apartándolo de la pared, y rotar hacia el hombro izquierdo el brazo que se está estirando.

Empieza presionando firmemente los pies contra el suelo y alargando el costado desde la cadera hasta las yemas de los dedos, si es posible elevando éstas por la pared poco a poco. Realiza con cuidado esta acción, ya que el estiramiento aumentará bastante al pasar por las próximas fases de este ejercicio.

Manteniendo el lado derecho en contacto con la pared, empieza después a alzar del suelo los talones, dejando que la caja torácica y el brazo se deslicen pared arriba mientras te elevas lo más posible sobre las eminencias plantares, como un bailarín (Figura 16). Sigue alargando las puntas de los dedos mientras el brazo se desliza pared arriba, de nuevo avanzando lentamente con las yemas si se siente cómodo. Mantén esta elevación durante unos instantes, respirando con suavidad con el costado estirado y sintiendo cómo se alargan y abren las costillas y el lado del tórax.

Después, al empezar a bajar los talones lentamente al suelo, trata de mantener el brazo elevado sobre la pared; pero sin exagerar, ya que estarás sometiendo a los músculos intercostales y al lado del tórax a un gran estiramiento; más bien resístete con cuidado a dejar que el brazo baje deslizándose contigo. Una vez los pies estén firmemente de vuelta en el suelo, presiona de nuevo con ellos y alarga las puntas de los dedos de la mano, apoyándote aún contra la pared. Mantén la posición durante unas respiraciones más, mientras sientes cómo se ablandan y sueltan los músculos a lo largo del costado y cómo la respiración se concentra más plenamente en el lado que se está estirando. Para salir de la postura, baja el brazo deslizándolo por la pared por delante de ti. Después date la vuelta y repite por el otro lado.

FIGURA 16
POSTURA DE ESTIRAMIENTO LATERAL DE PIE

Postura Soportada de Estiramiento de Columna
SALAMBA ADHO MUKHA SVANASANA

▼ ▼ ▼ ▼ ▼ ▼ ▼ ▼ ▼ ESTIRA TODO EL CUERPO • ALIVIA LA
TENSIÓN DE LA REGIÓN LUMBAR Y LOS HOMBROS •
INCREMENTA LA ENERGÍA

PRACTICAR CON CUIDADO: En caso de lesiones de isquiotibiales, lumbares u hombro.

ACCESORIO: una mesa, encimera o pila de cocina

ACCESORIO OPCIONAL: 1 esterilla antideslizante

Esta postura es similar a la del Perro con una Silla (Figura 13), pero con los brazos colocados a mayor altura en relación con la pelvis, de manera que la mayor parte o todo tu peso permanezca sobre las piernas. Puedes experimentar con la búsqueda de la altura correcta para sostener la postura, e incluso trabajar con los brazos colocados en o por encima del nivel de la pelvis, en vez de por debajo. Para ello, puede servirte una mesa, o aún mejor una encimera (o una estantería o cualquier otra cosa más o menos de esa altura), dependiendo de lo que midas y de tus proporciones, así como de tu flexibilidad. De nuevo, estás tratando de apoyar las manos aproximadamente al nivel de las crestas ilíacas, o ligeramente más altas. Asegúrate de que, uses lo que uses, sea estable y no se deslice apartándose de ti; fíjalo a la pared si es preciso.

Ponte de pie delante de la mesa, con los pies separados a la anchura de las caderas y paralelos entre sí. Si prefieres estar sobre una esterilla, disponla perpendicular a la mesa, con el extremo corto dirigido hacia ella. Pon las manos en la mesa, con las palmas hacia abajo, y luego da un paso atrás con ambos pies, bajando el pecho y caminando hacia atrás hasta que los brazos estén estirados, con los talones en la vertical de las articulaciones coxofemorales, y la columna aproximadamente paralela al suelo. Si el soporte para las manos está más alto que las crestas ilíacas, los brazos y los hombros también terminarán más altos que la pelvis, en cuyo caso la columna no estará exactamente paralela al suelo. No hay mayor problema y puede en realidad ser preferible si se tienen tensos los isquiotibiales; siempre y cuando se pueda estirar los brazos y extender totalmente la columna, es correcto estirarse hasta crear un ángulo mayor de 90°, pero sin exagerar: lo importante es que el ángulo resulte cómodo para los isquiotibiales.

Mantén la cabeza en posición neutra entre los brazos, con los pies presionando firmemente contra el suelo, aún paralelos entre sí, y separados a la anchura de las caderas (Figura 17). Alarga hacia atrás la columna, pensando en desenrollar el coxis mientras lo estiras distanciándolo de la coronilla. Al estirar plenamente la columna, trata de mantener la caja torácica bien centrada, alineada con la cabeza, teniendo cuidado de no hiperarquear la región lumbar, ni dejar que se hunda.

Aunque uno de los principales beneficios de este estiramiento sea crear más espacio entre las vértebras y reducir la compresión en la región lumbar, es un estiramiento para todo el cuerpo, y es posible sentirlo en otras partes del mismo, dependiendo de dónde se tenga tensión, incluidos los isquiotibiales y las articulaciones del hombro (en especial las axilas y los lados del pecho). Respira con naturalidad y facilidad en este estiramiento durante 30-60 segundos, y ve aumentando poco a poco con el tiempo hasta los 2 minutos. Para salir de la postura, mantén las manos sobre la mesa para sostener la espalda mientras caminas hacia delante, de manera que estés apoyado hasta volver a estar de pie totalmente erguido.

Como variante de este estiramiento básico, me gusta usar la pila de la cocina, porque puedo agarrarme bien de ella al caminar con los pies hacia atrás y alargar la columna. Al colgar la columna hacia atrás apartándose de la pila, esta versión permite una mayor tracción sobre el raquis y las articulaciones de los hombros. Si pruebas esta versión, al sentir cómo se sueltan los músculos, puedes crear aún más tracción adelantando ligeramente los pies respecto a las articulaciones coxofemorales y dejando que la pelvis y el coxis cuelguen levemente hacia atrás, más allá de los pies. ¡Puedes hacer esto como estiramiento extra en cualquier momento en que estés en la cocina!

PÁGINA ANTERIOR:
FIGURA 17
POSTURA SOPORTADA DE ESTIRAMIENTO
DE COLUMNA

Postura Soportada de Estiramiento de Hombros
SALAMBA ARDHA ADHO MUKHA SVANASANA

▼ ▼ ▼ ▼ ▼ ▼ ▼ ▼ ▼ ▼ ▼ ▼ ESTIRA LA MUSCULATURA
DE LA COLUMNA Y DE LOS HOMBROS • ALIVIA LA TENSIÓN DE LA PARTE
ALTA DE LA ESPALDA Y DE LA CINTURA ESCAPULAR • ABRE LA REGIÓN
TORÁCICA Y MEJORA LA RESPIRACIÓN

PRACTICAR CON CUIDADO: En caso de lesiones de isquiotibiales, lumbares
u hombro.

ACCESORIO: una mesa o encimera

ACCESORIOS OPCIONALES: 1 ó 2 esterillas antideslizantes • 1 toalla • 1 bloque
de yoga

Ponte de pie delante de una mesa o encimera. Como en la Postura Soportada de Estiramiento de Columna, tienes que buscar una altura que esté al
nivel de las crestas ilíacas, o
por encima de ellas. Si prefieres estar sobre una esterilla, disponla con el extremo
corto mirando hacia la mesa.
Coloca los codos en el borde,
separados a la anchura de los

FIGURA 18A
POSTURA SOPORTADA DE ESTIRAMIENTO
DE HOMBROS

hombros, y junta las manos, con las palmas presionando una contra otra y las puntas de los dedos dirigidas hacia arriba, en Postura de Oración. Si lo deseas, puedes usar una toalla o una esterilla antideslizante dobladas debajo de los codos, para acolchar la mesa.

Manteniendo los codos en posición sobre la mesa, empieza a caminar hacia atrás, como en la Postura Soportada de Estiramiento de Columna, bajando el pecho y alargando la columna hacia atrás, hasta que los talones se hallen en la vertical de las articulaciones coxofemorales y la columna y los brazos (del codo al hombro) estén más o menos paralelos al suelo. Trata de evitar que los codos se deslicen apartándose uno de otro (la esterilla antideslizante doblada puede ayudar también con esto), y mantén la cabeza colocada en posición neutra, con la nuca y el cráneo alargados, la coronilla apuntando directamente a la encimera y las orejas entre los bíceps (Figura 18A).

Mientras respiras en esta posición, alarga el coxis apartándolo de la coronilla, y siente cómo la pelvis se eleva encima de los fémures. Presiona las palmas entre sí y relaja los hombros desde el interior, sintiendo cómo las escápulas se ensanchan apartándose de la columna y se abre más espacio en la región torácica. También puedes sentir este estiramiento en la cara superior de los hombros, en los tríceps y tal vez también en los isquiotibiales. Deja que todos los músculos que se están estirando se suelten suavemente mientras mantienes esta postura durante 30-60 segundos. Sal de ella caminando hacia delante, manteniendo los codos apoyados en la mesa o encimera, hasta que puedas incorporarte del todo con facilidad.

Para lograr un estiramiento más profundo, practícala con un bloque de yoga entre las manos (Figura 18B). En esta versión, el bloque mantiene paralelos entre sí tanto los antebrazos como los brazos, creando más espacio entre las escápulas y mayor estiramiento en los músculos de la región torácica, los hombros y los brazos. Colócate el bloque entre las manos, manteniéndolo entre las palmas planas y presionando contra él con la base de los dedos y la zona situada entre el pulgar y el índice. Dispón los codos, separados exactamente a la anchura de los hombros, sobre el borde de la encimera o la mesa. Mantén los dedos alargados y apuntando hacia arriba, con los codos flexionados en ángulo recto, y practica como antes se ha indicado, teniendo cuidado de no dejar que los codos se separen, deslizándose al caminar hacia atrás en el estiramiento.

FIGURA 18B
POSTURA SOPORTADA DE ESTIRAMIENTO
DE HOMBROS, CON BLOQUE DE YOGA

Postura del Perro Mirando Hacia Abajo

ADHO MUKHA SVANASANA

▼ ▼ ▼ ▼ ▼ ▼ ▼ ▼ ▼ ▼ ▼ ▼ ▼ ▼ ESTIRA TODO EL CUERPO •
ALIVIA LA TENSIÓN DE LA REGIÓN LUMBAR Y LOS HOMBROS • MEJORA
LA POSTURA Y LA ENERGÍA GENERAL

PRACTICAR CON CUIDADO: En caso de lesiones de isquiotibiales, lumbares, muñecas u hombro.

ACCESORIO: 1 esterilla antideslizante

ACCESORIOS OPCIONALES: 1 cuña o una segunda esterilla antideslizante •
una pared

Colócate en la esterilla sobre las rodillas y las manos. Atrasa los ísquiones hacia los talones mientras estiras los brazos delante de ti, con las manos en el suelo, separadas entre sí la anchura de los hombros. Manteniendo alargados y estirados los brazos y las manos bien asentadas en el suelo delante de los hombros, apoya los pies en flexión. Aprovechando una inspiración, eleva las rodillas del suelo, estirando las piernas y elevando y atra-

FIGURA 19A
POSTURA DEL PERRO MIRANDO HACIA ABAJO

sando las caderas (Figura 19A). Si la posición de las manos resulta difícil para tus muñecas, prueba colocando una cuña o una manta doblada debajo de la base de las manos, de manera que ésta se halle más alta que los dedos (Figura 19B).

Mantén la Postura del Perro Mirando Hacia Abajo durante 30-60 segundos, respirando con suavidad. Los pies deben estar separados a la anchura de las caderas y paralelos entre sí. Deja que la cabeza descanse en posición neutra entre los brazos, con el cuello relajado. Mantén las manos bien asentadas en el suelo y llenas de energía. Presionar firmemente con la base de los dedos y la eminencia tenar (espacio situado entre el pulgar y el índice) sirve de ayuda para abrir los hombros, así como las cruciales vías nerviosas situadas entre los hombros y las manos.

Mientras respiras en la postura, eleva el tronco apartándolo de las manos y los brazos y alarga la columna. Al estirar hacia arriba los ísquiones, estira simultáneamente las piernas hacia atrás y hacia abajo, dejando que los talones se acerquen al suelo. Mantén estiradas las piernas, con los cuádriceps firmes y elevados y los fémures tirando hacia atrás contra los isquiotibiales. Activa con cuidado los músculos abdominales, elevándolos para meterlos en el tronco, de manera que el vientre se sienta cóncavo y la pelvis se halle levantada y apartada de la columna desde abajo.

Para salir, vuelve sobre las manos y las rodillas durante una espiración. Si te apetece, repite esta postura varias veces.

En la pared. Esta variante estira los músculos de las manos

y previene el síndrome del túnel carpiano y otras afecciones de la mano relacionadas con el uso de ordenadores y PDA.

Coloca el extremo corto de la esterilla contra la pared. Sitúate sobre las manos y las rodillas mirando hacia la pared, con las manos y los brazos separados a la anchura de los hombros. Pon las manos en el suelo, los índices y pulgares apoyados contra la pared y la cara interna de la eminencia tenar (la base musculosa del pulgar y el espacio situado entre el pulgar y el índice) lo más cerca posible de la pared y los demás dedos hacia los lados, apartándose entre ellos. Como en la versión anterior, una cuña o una esterilla enrollada pueden usarse para elevar la base de las manos a fin de reducir el ángulo de flexión en la articulación de la muñeca, lo cual ayudará a reducir la presión en casos de sensibilidad articular. Atrasa las caderas hacia los talones, hasta que los brazos estén estirados delante de ti, y continúa con la Postura del Perro Mirando Hacia Abajo (Figura 19C).

No dejes de tener presente que, como con muchas de estas posturas y ejercicios, ésta debe practicarse con cuidado o evitarse totalmente si resulta dolorosa o provoca adormecimiento muscular. Aunque estirar los músculos de las manos sea excelente para la prevención de lesiones, puede exacerbar afecciones nerviosas ya existentes, en especial cuando los daños son graves.

PÁGINA ANTERIOR:
FIGURA 19B
POSTURA DEL PERRO MIRANDO
HACIA ABAJO, CON UNA ESTERILLA DOBLADA

DERECHA:
FIGURA 19C
POSTURA DEL PERRO MIRANDO
HACIA ABAJO, EN LA PARED

Postura Suave del Yogui Durmiente
SUKHA YOGANIDRASANA

▼ ▼ ▼ ▼ ▼ ▼ ▼ ▼ ▼ ▼ ▼ ▼ ▼ ESTIRA LA MUSCULATURA
DE LAS CADERAS Y LA REGIÓN LUMBAR • ALIVIA LA TENSIÓN
DE LA PARTE INFERIOR DE LA ESPALDA

PRACTICAR CON CUIDADO: No practicar este ejercicio después de la decimoséptima semana de embarazo.

ACCESORIO: 1 esterilla antideslizante

ACCESORIOS OPCIONALES: 1 manta • 2 correas

Túmbate de espaldas sobre la esterilla, usando si es preciso una manta para que la columna esté más cómoda. Eleva las rodillas hacia el pecho, y alarga los brazos entre las piernas para agarrarte de los pies. Manteniendo el agarre sobre los arcos plantares o sobre los talones (lo que sea más cómodo) y las rodillas y los tobillos flexionados, eleva los pies, de manera que las plantas miren hacia el techo y los talones se hallen en la vertical de las rodillas. Éstas se mantienen flexionadas aproximadamente en ángulo recto, con las piernas perpendiculares al suelo (Figura 20A).

Si tienes tensas las caderas y la región lumbar, puede ser difícil mantener el agarre de los pies y seguir encontrando la alineación correcta en la postura. En tal caso, puedes pasar correas en torno a los pies para ampliar el alcance de las manos, sujetando las correas, de manera que los hombros y el cuello puedan permanecer relajados (Figura 20B). Otra opción es agarrarse sencillamente de la cara posterior de los muslos, en torno a los isquiotibiales. Lo importante es colocar las piernas en posición, no lo alto que puedas llegar con las manos.

Con las rodillas aún flexionadas en ángulo recto y los talones en la vertical de las rodillas, relaja las articulaciones coxofemorales, y empieza a acercar las rodillas al suelo a cada lado de la caja torácica. Las rodillas no deben tocar el suelo, así que no hay que forzarlas. A medida que desciendan las rodillas, mantén la parte superior del sacro y la columna lumbar presionando contra el suelo. Cuanto más desciendan las rodillas, más puedes centrarte en liberar la espalda en la otra dirección, imaginando que el coxis se desenrolla y se alarga y tratando de mantener el sacro en el suelo.

Relájate y respira en la postura durante 30-60 segundos. Para salir de ella, suelta los pies y lleva las rodillas contra el pecho. Puedes mantener esta posición unos momentos más, dejando que los fémures se relajen descendiendo hacia el abdomen y que la región lumbar se redondee. Rueda después sobre un costado antes de incorporarte.

91

ARRIBA:
FIGURA 20A
POSTURA SUAVE DEL YOGUI DURMIENTE

DERECHA:
FIGURA 20B
POSTURA SUAVE DEL YOGUI DURMIENTE,
CON CORREAS

Postura Echada de Torsión de Columna
JATHARA PARIVARTANASANA

▼ ▼ ▼ ▼ ▼ ▼ ▼ ▼ ▼ ▼ ▼ ▼ ▼ LIBERA LA COLUMNA, LOS HOMBROS Y LA CARA EXTERNA DE LAS CADERAS • RELAJA LOS MÚSCULOS DE LA ESPALDA • AUMENTA LA MOVILIDAD DE LA COLUMNA

PRACTICAR CON CUIDADO: En caso de lesiones de hombro, de columna o sacroilíacas.

ACCESORIO: 1 esterilla antideslizante

ACCESORIO OPCIONAL: 1 ó 2 mantas

Túmbate de espaldas sobre la esterilla, con una manta extendida debajo de ti para mayor comodidad, si lo prefieres. Eleva las rodillas hacia el pecho, con los fémures descendiendo hacia el abdomen. Abre los brazos, y deja que se apoyen abiertos lateralmente en posición de T, con las palmas hacia arriba.

FIGURA 21A
POSTURA RECLINADA DE TORSIÓN DE COLUMNA

Mientras espiras, empieza a rodar hacia la derecha, dejando que las rodillas desciendan hacia el suelo, la izquierda sobre la derecha, hasta quedar sobre el costado derecho. Mantén el brazo izquierdo extendido hacia la izquierda, pero no fuerces el hombro a permanecer en el suelo. Si te parece incómodo, desplaza las caderas ligeramente hacia el brazo izquierdo al bajar más sobre el lado derecho. Mantén la cabeza en posición neutra, con la parte posterior del cráneo apoyada en el suelo y la nariz apuntando directamente hacia el techo (Figura 21A). Relájate y respira, sintiendo cómo los músculos de la espalda sueltan su agarre sobre la columna, mientras las piernas y el brazo izquierdo descienden hacia el suelo separándose entre ellos, en direcciones contrarias. Mantén el hombro y el brazo izquierdos muy relajados, lo cual ayudará a abrir el pecho y a crear una saludable tracción para la parte superior de la columna.

Si este ejercicio produce al principio una sensación intensa en la espalda, puedes modificarlo colocando una manta doblada en el lado hacia el que te estés moviendo, para que las piernas puedan apoyarse en ella y no tengan que bajar toda la distancia hasta el suelo (Figura 21B).

Mantén este estiramiento durante 30-60 segundos. Para salir de la postura, deja que las piernas te devuelvan a la posición de tumbado de espaldas, iniciando el movimiento con la pierna superior y dejando que la inferior la siga. Repite después hacia el otro lado.

Figura 21b
POSTURA RECLINADA DE TORSIÓN DE COLUMNA,
CON UNA MANTA

Postura del Ángulo Ligado
BADDHA KONASANA

▼ ▼ ▼ ▼ ▼ ▼ ▼ ▼ ▼ ▼ ▼ ▼ ▼ ▼ LIBERA LOS MÚSCULOS
DE LAS CADERAS Y DE LA REGIÓN LUMBAR • AUMENTA LA MOVILIDAD
EN LAS ARTICULACIONES COXOFEMORALES, PARA LOGRAR
UNA POSTURA SALUDABLE

PRACTICAR CON CUIDADO: En caso de lesiones de cadera o inguinales.

ACCESORIOS: 1 esterilla antideslizante • 2 mantas • una pared

ACCESORIOS OPCIONALES: 2 bloques de yoga • un temporizador

Esta postura es un excelente antídoto para una jornada sentado en una silla, el coche o un avión. Puede practicarse hacia el final de la sesión de yoga o por sí sola, para un descanso corto o un momento de transición.

Fija la hora en un temporizador; te ayudará a no perder la noción del tiempo que mantienes la postura y también para permitirte que te relajes más plenamente, sabiendo que el temporizador te indicará cuándo es hora de abrir los ojos.

Empieza colocando la esterilla junto a una pared. Extiende una manta sobre la esterilla y dobla la segunda manta en tres para crear una almohada dura. Coloca esta manta doblada en el extremo de la esterilla, pegada a la pared.

Siéntate sobre la segunda manta con la espalda apoyada contra la pared, y dobla las piernas de manera que las plantas de los pies presionen suavemente una contra otra y las rodillas desciendan abiertas a los lados. Échate atrás, de manera que la base de la columna esté firmemente soportada por la pared, y acerca los pies a la pelvis, con los talones cerca de la manta doblada, dejando que los bordes externos de los pies se apoyen en la manta extendida, más bajos que las caderas (Figura 22A).

Si es cómodo, deja que las piernas desciendan sencillamente hacia el suelo, relajándose con la gravedad (pero nunca empujes con las rodillas hacia el suelo). Si esta posición provoca una sensación excesiva de estiramiento en la parte interna de la ingle o la externa de las caderas, coloca un bloque de yoga debajo de cada rodilla (Figura 22B). Si no dispones de bloques, otra posibilidad es tratar de cruzar los tobillos en vez de colocar los pies uno contra el otro. Esto también reducirá el estiramiento en los músculos que mantienen los fémures en los acetábulos de la cadera. Busca una posición en la que puedas dejar que las piernas se relajan totalmente.

Una vez que las piernas, las caderas y la espalda estén cómodas y adecuadamente soportadas, apoya las manos sobre las rodillas, con las palmas hacia arriba, dejando que los hombros se relajen y los brazos desciendan con facilidad. Deja que la barbilla descienda muy ligeramente hacia el pecho, y relaja

FIGURA 22A
POSTURA DEL ÁNGULO LIGADO

FIGURA 22B
POSTURA DEL ÁNGULO LIGADO, CON BLOQUES DE YOGA

la garganta y la base de la lengua. Cierra los ojos y deja que se ablande toda la cara, en especial los músculos situados entre las mandíbulas y entre las cejas. Dirige la atención a tu interior y a la respiración. Siente cómo te relajas más profundamente y cómo tu consciencia desciende más profundamente en tu interior con cada espiración. Si observas que la mente corre desbocada, puedes emplear la Consciencia Respiratoria (ver pág. 68) para ayudarte a crear una energía más tranquila y soltar tus pensamientos. Éste es un tiempo para que, además del cuerpo, repose el cerebro.

Mantén esta postura durante 2 a 10 minutos, aumentando progresivamente hacia el tiempo más largo a medida que la postura se vuelva más cómoda con la práctica. Para salir de ella, coloca las manos debajo de las rodillas a fin de ayudarte a elevarlas una hacia la otra, y dispón las plantas de los pies en el suelo antes de bajar de la manta.

Postura de Soltar
SAVASANA

▼ ▼ ▼ ▼ ▼ ▼ ▼ ▼ ▼ ▼ ▼ ▼ ▼ RELAJA PROFUNDAMENTE
LA MENTE Y EL CUERPO • SOSTIENE LAS CAPACIDADES NATURALES
DE RECUPERACIÓN Y UNA SALUD ÓPTIMA

PRACTICAR CON CUIDADO: No practicar esta postura después de la decimoséptima semana de embarazo. En tal caso, tumbarse de lado.

ACCESORIOS: 1 esterilla antideslizante • un temporizador

ACCESORIOS OPCIONALES: 2 mantas • 1 almohadón cilíndrico • 1 manta • 1 bolsa antifaz o 1 toallita

Dispón la esterilla en el suelo y, si lo prefieres, extiende una manta encima de ella para mayor comodidad. La segunda manta puede estar doblada a fin de crear una pequeña almohada para la cabeza y el cuello; debe sostener la columna cervical (las vértebras del cuello), pero no elevarla. Fijar un temporizador para el período de tiempo que quieras permanecer en relajación te ayudará a penetrar plenamente en la postura, liberándote de preocupaciones respecto al tiempo transcurrido, cuándo salir de la postura o si te quedas dormido.

Túmbate de espaldas y dedica unos momentos a ponerte lo más cómodo posible. Colocar un almohadón cilíndrico o una manta enrollada debajo de la cara posterior de las rodillas puede ayudar a relajar más la región lumbar, y una bolsa antifaz o una toallita doblada sobre los ojos pueden favorecer una relajación más profunda. Usar estas opciones mejorará tu experiencia de la Postura de Soltar.

Una vez estés cómodo, cierra los ojos y empieza a soltar. Deja que los brazos descansen a los lados, con las palmas vueltas hacia arriba y los dorsos de las manos apoyados sin esfuerzo en el suelo. Deja que las rodillas y los pies se relajen suavemente apartándose uno de otro (Figura 23). Deja que el abdomen se sienta blando y abierto, y experimenta la elevación y descenso de la respiración desde el interior, rindiéndote por completo en la relajación, abandonándote por completo a la atracción de la gravedad y el apoyo del suelo con cada espiración. Deja que cada inspiración te sirva de recordatorio para aclarar la mente y soltar los pensamientos.

FIGURA 23
POSTURA DE SOLTAR

Mantén esta postura durante un mínimo de 5 minutos. Aunque no exista máximo, lo ideal es entre 10 y 15 minutos. Cuando el tiempo haya transcurrido, permanece relajado y sigue centrado plenamente en la respiración durante unos momentos más, en vez de salir de la postura de repente. Experimenta en qué consiste la relajación consciente y total. Para la mayoría de nosotros, se trata de una destreza aprendida y no de un instinto natural. La nuestra es una cultura de acción en vez de relajación, y a muchas personas la Postura de

Soltar al principio les parece un auténtico reto. Aunque esta postura pueda practicarse por sí sola en cualquier momento que se necesite un descanso, a menudo es más fácil para el sistema nervioso soltar y relajarse, dejando paso al control del sistema parasimpático (de descanso y restablecimiento) después de la práctica de yoga, que simplemente tumbarse y aclarar la mente en medio de una jornada ajetreada. De hecho, puedes considerar tu práctica de asana como un tipo de calentamiento para esta postura. Después del trabajo y la sensación de los ejercicios de estiramiento, tu cuerpo, sistema nervioso y mente están más preparados para el arte y la profunda terapia de la relajación. Con más experiencia de yoga, el entrenamiento del sistema nervioso vuelve esta postura más accesible. Con el tiempo se hará más fácil penetrar sencillamente en un estado meditativo profundamente relajado sin tanta preparación física.

Para salir de la postura, realiza movimientos cuidadosos y conscientes. Durante una inspiración, flexiona las rodillas y pon las plantas de los pies en el suelo o en el almohadón cilíndrico. Con la siguiente espiración, gírate sobre un costado y descansa allí unos momentos más, para que tanto la columna como la mente puedan volver poco a poco al mundo. La bolsa antifaz se caerá por sí sola, pero mantén los ojos cerrados y, antes de abrirlos, deja que se ajusten a la luz que entra por los párpados. Por último, cuando estés preparado, apóyate en los brazos para volver a incorporarte a una posición sentada, mirando al suelo mientras lo haces, de manera que la cabeza sea lo último en incorporarse. Trata de llevarte contigo el espíritu consciente y relajado de la Postura de Soltar al volver al mundo activo.

Cuarta parte

Reunir las posturas

▼ ▼ ▼ ▼ ▼ ▼ ▼ ▼ ▼ ▼ ▼ ▼ ▼ ▼ ▼ ▼ ▼ ▼

Pautas para la práctica del yoga

Ten presentes las siguientes sugerencias para sacar el mayor partido de tu práctica.

Toma nota. Encuentro sumamente útil anotar la hora a la que pretendo practicar en mi calendario y también incluirlo en mi lista de cosas que hacer durante la jornada. Recomiendo usar uno o ambos de estos métodos para asegurar que tu práctica del yoga no se te pase o no te quepa en la agenda, ya que tanto esta última como la mente suelen colmarse con otras tareas en el transcurso de un día ajetreado.

Espacio. Es maravilloso disponer de un espacio dedicado a la práctica, si puedes permitírtelo. Siempre he soñado con una casa con su propia sala de yoga, pero hasta ahora, al vivir en un piso de una sola habitación, mi espacio de práctica es también mi salón y mi oficina. Retirar parte del mobiliario y ordenar mi estudio de yoga casero cada mañana es el comienzo de mi práctica, y trato de convertir este proceso en un ritual, para trazar una frontera física y energética en torno a mi práctica de yoga.

Muchos de los ejercicios recomendados en este libro pueden hacerse sentado en la silla ante el ordenador. Para lograr una sesión de yoga más implicada, el único requisito físico para el lugar de práctica es disponer de espacio suficiente para extender la esterilla y moverte un poco sobre ella; cierta intimidad y silencio son ventajas añadidas. La mayoría de las posturas de este libro pueden realizarse en un espacio pequeño sin muchas modificaciones, si es que hay alguna. Tanto si dispones de una habitación entera como de un armario grande o un rincón de tu oficina, y tanto si tienes que montar y desmontar tu estudio de yoga personal cada vez que practicas, siempre es útil montar un espacio que te resulte atractivo.

Apaga las luces; si no hay luz natural en tu espacio, enciende una o dos velas, colocándolas donde no las tires al moverte durante la secuencia de asanas. Suspende la sesión de tu ordenador y, si tiene un protector de pantalla que te distraiga o que parpadee al llegar un correo electrónico, cúbrelo con un paño. Desenrolla la esterilla y coloca al alcance de la mano los accesorios que vayas a emplear. Establece una temperatura confortable (abriendo o cerrando ventanas o usando un ventilador o una estufa); no es recomendable estirar los músculos cuando el cuerpo está frío: por algo el yoga se desarrolló en un clima tropical. Haz lo que puedas para asegurarte un tiempo ininterrumpido en silencio. Apaga el móvil y, si es posible, desconecta la señal de llamada de todos los teléfonos que haya en o cerca del espacio de práctica. Si en las inmediaciones hay mucho ruido, algo de música agradable sonando a bajo volumen puede servir para reducir las distracciones. Pide a tu familia, o a tus compañeros de habitación o de trabajo, que no te molesten durante el tiempo que dure la práctica. Cerrar la puerta con llave puede mejorar la intimidad.

Aunque no sea necesario hacer todo esto para una pausa de estiramientos de cinco minutos en tu mesa de trabajo (y es importante tomarse con regularidad esos breves descansos de yoga eficientes durante las sesiones de ordenador, ¡además de concederte tiempos de práctica cada vez más largos!), dar tan sólo algunos de los pasos arriba indicados ayudará a que las pausas de yoga en la oficina sean placenteras y efectivas. Crear un entorno que apoye tu práctica te ayudará a entregarte a ella, y los beneficios de una práctica concentrada son mayores que cuando tu práctica es dispersa y llena de distracciones. Sin embargo, si estás practicando en medio de la jornada laboral o de la vida familiar, tienes que darte cuenta y aceptar que no todas las sesiones de práctica serán perfectamente tranquilas. Y si estás bajo la presión de los plazos de entrega o tienes un día exigente y ocupado, es mejor hacer lo que puedas para cuidarte sin romper el ritmo (y provocar así más estrés para ti mismo), en vez de esperar a que se presenten las condiciones perfectas y tiempo abundante. De otro modo, ¡la mayoría de nosotros practicaríamos pocas veces, o ninguna! Podemos buscar la perfección, pero parte de desarrollar una práctica exitosa sistemática consiste en aceptar que no podemos controlar todas las variables y aprender a sintonizarse internamente, ocurra lo que ocurra en el exterior.

Horario. Asimismo, es ideal practicar temprano por la mañana antes de comer, pero más importante que practicar en el momento perfecto o a la misma hora cada día es encontrar maneras de encajar regularmente la práctica en tu vida cotidiana. A la hora de la comida del mediodía (¡antes de comer!) o del descanso para el café de media tarde, al final de la jornada laboral, o por la noche después de acostar a los niños, pueden ser, todos ellos, buenos momentos de práctica, dependiendo de los ejercicios que estés haciendo. Es mejor realizar las prácticas más vigorosas más temprano, mientras que los ejercicios más relajantes pueden servirte para desconectar, al pasar del trabajo a las actividades nocturnas o prepararte para el sueño. Para volver a cargarse de energía a muchas personas les parece que una suave sesión de yoga con algunos estiramientos sencillos y algo de relajación es más efectiva que una siesta o un sueñecito.

Comer. Es mejor practicar con el estómago vacío, y la mayoría de las pautas de yoga recomiendan no comer durante dos o tres horas antes de practicar.

Con las ajetreadas agendas de hoy día, ¡esto no es siempre posible! Si tienes hambre, no podrás practicar eficazmente, así que, si necesitas energía, come ligeramente; fruta, yogur o algún tipo de batido saludable o *smoothie* son buenas opciones. Si quieres practicar con el estómago lleno, elige estiramientos que no requieran comprimir el abdomen o invertir el tronco. Muchos de los estiramientos sentados pueden ser perfectamente confortables, pero evita las torsiones, las flexiones de tronco y las posiciones invertidas cabeza abajo. En otras palabras, es posible encontrar formas de practicar aunque el horario y las condiciones no sean los ideales. El objetivo más importante es una práctica regular y frecuente.

Vestuario. Para la práctica del yoga, las mejores prendas son las sueltas y cómodas con las que sea fácil moverse. Entre ellas se incluyen la ropa de danza, las camisetas y los leotardos, así como los pantalones de chándal o cortos con cintura elástica. Aquellos de nosotros que trabajamos en casa a menudo llevamos sudaderas y prendas parecidas durante todo el día; pero, si estás en una oficina y no puedes cambiarte de ropa, sigue habiendo cosas que puedes hacer con el fin de estar más cómodo para la práctica. Entre éstas se incluyen quitarte los zapatos y la chaqueta, aflojarte o quitarte el cinturón y la corbata, abrir los botones o las cremalleras que aprieten mucho. A menos que las necesites por razones de seguridad, quítate también las gafas, ya que se supone que tienes que concentrarte en tu interior.

Al hacer yoga conviene poder moverse lo más libre y cómodamente posible. Durante una pausa para estirarte de 5 a 10 minutos, probablemente sólo hagas los mínimos ajustes de ropa necesarios para que tus movimientos sean cómodos (y eliminar los riesgos de estropear la ropa de trabajo). La mayoría de los ejercicios ante el ordenador, por ejemplo, pueden hacerse sin quitarse los zapatos; pero, para sesiones de práctica más largas, han de disponerse para el máximo confort y libertad de movimientos que sea posible. El yoga se practica tradicionalmente descalzo, y quitarte los zapatos liberará tanto tus movimientos como tu energía. Dado que nos ponemos de pie y nos tumbamos sobre las esterillas de yoga, sé consciente de los problemas de higiene al practicar con los zapatos puestos; puedes destinar un lado de la esterilla para usarlo con zapatos y otro para la práctica más larga descalzo y para tumbarte, o usar dos esterillas distintas.

Accesorios. Para los ejercicios incluidos en este programa de yoga se emplean los accesorios que se describen a continuación. Sugiero empezar con un equipo mínimo —una silla y una esterilla de yoga son fundamentales— e ir añadiendo más según se precise. Descubrirás por experiencia que los accesorios adicionales servirán de apoyo para tu práctica y la mejorarán. Mientras tanto, suele ser fácil reemplazarlos por objetos que normalmente tenemos a mano; ver las sugerencias que siguen. En la sección *Recursos* puede encontrarse información sobre la compra de equipo de yoga.

Esterilla. Para la práctica del yoga es esencial una esterilla antideslizante. Hoy en día, se encuentran esterillas de yoga de muchos tipos. Al elegirla, ten presente que es más importante la tracción que ofrece, para evitar que te resbales en el suelo, que el acolchado.

Silla. Se requiere una silla estable: ¡esto significa sin ruedas ni partes móviles! Lo ideal es una silla metálica plegable sin brazos, del tipo que se encuentra en cualquier establecimiento grande de suministros de oficina. Si no dispones de ninguna de éstas, una silla básica de madera puede servir para la mayoría de los ejercicios. Asegúrate de que tu silla esté en una posición estable para que no se vuelque ni se resbale cuando la estés empleando. La mejor silla para yoga es bastante distinta de la que se utiliza normalmente en los terminales de trabajo. Para sentarse ante el ordenador, es mejor opción ergonómica una silla flexible y ajustable con ruedas, brazos y respaldo para apoyarse. Así que necesitarás tener a mano una silla exclusivamente para yoga.

Manta. Las mantas para yoga deben ser resistentes, porque se doblan y se emplean como almohadas, para añadir soporte o altura, con tanta frecuencia como se emplean para acolchar. Con el tiempo probablemente te convenga disponer de por lo menos dos mantas adecuadas para la práctica del yoga.

Cuña. Las cuñas de espuma son una innovación reciente y sumamente útil en el equipamiento de yoga. Debido a que ayudan a reducir el ángulo de extensión y la carga sobre las muñecas en posiciones que soportan peso sobre las manos y los brazos, son fundamentales para personas con afecciones de muñeca. Pero desempeñan también otras diversas funciones, y pueden ser útiles colocadas bajo los ísquiones para ajustar la postura en posiciones sentadas. Si no tienes una cuña a mano, suele poder emplearse en su lugar una esterilla de yoga doblada varias veces.

Correa. Las empresas de suministros para yoga venden cinturones y correas fabricadas específicamente para esta disciplina, pero para muchos de los ejercicios aquí incluidos, puede reemplazarse por el cinturón de un albornoz, una corbata vieja, o incluso una toalla de mano. Con mayor frecuencia la correa se utiliza para ampliar el alcance de los brazos, razón por la que, se emplee lo que se emplee, tiene que medir más de un metro de largo.

Bloque de yoga. Los bloques de yoga tienen muchos usos. Suelen emplearse como apoyo o para elevar el nivel del suelo, y no tener así que forzar los alargamientos hacia abajo más de lo que permite nuestra flexibilidad. Se encuentran de muchos tipos, incluyendo bloques tradicionales de madera, de espuma ligera, y ecológicos de corcho reciclable. Hasta que sepas qué tamaño y tipo quieres, puedes probar a usar libros grandes y pesados, como por ejemplo diccionarios, que pueden reemplazar a los bloques en muchos casos.

Bolsa antifaz. Una bolsa antifaz es un lujo económico y una herramienta útil para profundizar la relajación y aumentar los beneficios reductores del estrés de las posturas que la inducen. Cuando se emplean para la Postura de Soltar, las bolsas antifaz producen una respuesta fisiológica que estimula al cuerpo y a la mente a profundizar en el estado de relajación. Aunque a la mayoría de la gente le parezca agradable utilizar una bolsa antifaz, a algunas personas no les gusta la sensación de tener cubiertos los ojos, por lo que, aunque merezca la pena probarlas, no están indicadas en todos los casos. Sólo hay que usarlas si mejoran, en vez de entorpecer, la experiencia de la relajación. Aunque el peso de una bolsa antifaz sobre la frente resulta agradable y tiene beneficios especiales para el sistema nervioso, una sencilla toallita doblada o una toalla de manos colocada sobre los ojos puede reemplazarla hasta cierto punto. Al menos impedirán el paso de la luz y reducirán la tentación de abrir los ojos y mirar alrededor.

Temporizador. Un temporizador es una herramienta de práctica sumamente útil, especialmente para permitirte cerrar los ojos y relajarte plenamente, ¡sin preocuparte por quedarte dormido y faltar a una cita esa tarde! Un simple temporizador de cocina servirá. Los modelos digitales son los mejores, porque son silenciosos hasta que suenan.

Mientras le coges el tranquillo a la práctica del yoga, tal vez encuentres útiles otros artículos. Experimenta para encontrar la altura correcta para los ejercicios que requieren el soporte de una mesa normal o de trabajo (la de una encimera de cocina es una buena altura para muchas personas), y para optimizar tu práctica emplea lo que haya a mano, como puedan ser almohadas y toallas.

Si descubres que prefieres tener las rodillas elevadas en la Postura de Soltar, es posible que quieras darte el gusto de un almohadón cilíndrico de yoga. Aunque una manta enrollada dura o un par de almohadas realizarán esta función, un almohadón cilíndrico específico, que se encuentra en empresas de suministros para yoga, ofrece algo más de soporte y puede mejorar la experiencia de la postura. La relajación es un componente esencial de la práctica de yoga, con profundos beneficios terapéuticos, así que emplea los accesorios que gustes (bolsa antifaz, almohadón cilíndrico, mantas) para facilitar la realización de la más descansada, placentera y, por tanto, beneficiosa sesión de práctica.

Precauciones y trabajo en casos de lesión

El programa descrito en este libro se centra en la prevención de lesiones, no en tratarlas. Una auténtica afección requiere los cuidados de un profesional de la salud cualificado. Es importante destacar que algunos de estos ejercicios, aunque sean útiles para mantener sano el sistema músculo-esquelético y prevenir la aparición de lesiones por esfuerzo repetitivo y otros problemas, pueden agravar afecciones ya existentes.

En cada uno de los ejercicios, se verán algunas advertencias de las que ser consciente, incluyendo las palabras "practicar con cuidado" en el caso de ciertas lesiones. Aunque el yoga a menudo pueda ser útil para la rehabilitación, no es nada fácil afrontar lesiones en el contexto de un libro. Es imposible cubrir todas las posibles contingencias o afrontar todas las afecciones físicas potenciales. Aunque en yoga demos pautas generales, pocas veces decimos: "Nadie con la afección X debe hacer esta postura". Cómo afectan a cuerpos distintos los movimientos en particular es algo muy personal; algunas personas con LER se benefician con los estiramientos, mientras que otras encuentran que empeoran sus dolores. Asimismo, algunos de los pacientes de síndrome del túnel carpiano encuentran beneficioso hacer posturas cargando peso sobre los brazos, mientras que a otras les parecen insoportables. La Postura del Perro Mirando Hacia Abajo es maravillosa para algunas personas con enfermedades discales diagnosticadas, mientras que a otras con la misma afección les parece que somete a demasiado estrés sus articulaciones vertebrales dañadas. El yoga es una disciplina física de muchas facetas, y que puede tener profundos beneficios terapéuticos (tanto curativos como preventivos) cuando se practica adecuadamente, pero no es un tratamiento médico, a menos que se emplee con supervisión directa cualificada.

Por experiencia sé que es más efectivo experimentar y prestar atención a lo que el cuerpo te dice sobre lo que le hace sentirse mejor y lo que es mejor evitar. Lo único que sabemos seguro es que el cuerpo humano se comporta mejor cuando hace mucho movimiento y ejercicio, y sufre cuando no lo hace. No obstante, soy partidaria de evitar el dolor, y recomiendo *no* forzar *nunca* un movimiento o sensación que parezca arriesgado o dudoso. Es siempre preferible equivocarse por exceso de cautela, tener paciencia y ser consciente, e incrementar gradualmente tus capacidades físicas, incluyendo la amplitud de movimiento. Todos poseemos una sabiduría inherente que conoce la diferencia entre una sensación o molestia saludable y el dolor auténtico, y necesitamos sintonizarnos con lo que nos diga nuestro cuerpo, y respetarlo, ¡en vez de actuar por lo que nos gustaría escuchar! Por tanto, la intención de las palabras "practicar con cuidado" es apoyarte en que hagas sólo eso y en que emplees tu práctica de yoga para descubrir y respetar las necesidades y límites de tu propio cuerpo.

Optimizar beneficios

La práctica debe ser variada. La idea de contramovimiento es un componente clave en la prevención de LER, por lo que cuanta mayor variedad de movimientos puedas ofrecer a tu cuerpo, más eficaz será tu programa diario de cuidados personales. Esto significa que, aunque nunca te convenga forzar al estirarte o practicar yoga, tienes que resistir la tentación de hacer sólo los estiramientos más agradables. Para cambiar los patrones de nuestro cuerpo, tenemos que trabajar sobre movimientos y ejercicios que no nos resultan naturales. Si haces un ejercicio que detestas especialmente con suficiente frecuencia, con cuidado pero con constancia, a menudo descubrirás que se convierte en parte natural e incluso grata de tu rutina. Esto es aplicable incluso a la relajación, que para muchas personas es el aspecto más exigente de la práctica de yoga. Trata de adoptar una actitud de exploración y constancia en toda tu práctica, afrontando al "enemigo" más imponente sin prejuicios y con alegría.

Más es más. Cuanto más practiques yoga, tanto en frecuencia como en duración, mayores serán los resultados. El yoga no es ni la purga de Benito ni una panacea, pero introducirlo en tu vida asegurará que sigas cosechando sus beneficios. Al empezar a usar este libro, comienza buscando cómo y cuándo puedes sacar tiempo para practicar, tanto mental como prácticamente. Ya hemos hablado de los requisitos físicos para un espacio de práctica de yoga, pero probablemente tengas que afrontar otros desafíos al empezar tu programa de cuidados personales. Entre ellos puede incluirse encontrar o hacerte tiempo para ralentizar una agenda muy atareada, lo cual significa convertir en una prioridad tu propio bienestar. Estos temas a menudo no se resuelven con facilidad. Encontrarles solución es un proceso.

Practica sensatamente. Tu práctica está pensada para aliviar tus síntomas y no debe nunca empeorarlos. Aunque quepa esperar un cierto nivel de molestias al empezar a estirar músculos cargados de tensión o infrautilizados, y que a veces sean intensas, especialmente al principio, en realidad no deben nunca ser dolorosas. El yoga debe practicarse con cuidado y consciencia, buscando un sentido de facilidad y trabajando dentro de tus propios límites. Evita forzar, y en ninguna circunstancia practiques hasta el punto de dolor o insensibilidad muscular. Nuestro cuerpo posee una gran sabiduría interna y, con tan sólo un poco de experiencia, podemos aprender fácilmente a reconocer la diferencia entre una sensación saludable y el dolor auténtico, que es siempre una señal de que algo va mal y de que debes tomarte la actividad con más calma o evitarla totalmente. Tu práctica debe dejarte siempre con una buena sensación, y practicar con regularidad y con cuidado durante un tiempo breve enseñará a tu sistema nervioso a recibir con agrado la sensación que acompaña a estos ejercicios de estiramiento.

Practica con alegría. Además de practicar los ejercicios que suponen para ti un reto, que suelen ser los que provocan con el tiempo los cambios más profundos, no dejes de hacer también aquellos otros que te parezcan estupendos y que estás deseando hacer. Aprender a practicar yoga puede ser un gran placer, a medida que exploras y amplías tanto tus limitaciones físicas como tu inteligencia cinestésica. La práctica debe provocar cambios y producir también una buena sensación. Una práctica equilibrada es una práctica gozosa.

Secuencias de práctica de yoga

Se sugieren aquí varias series de posturas de duración y propósito diversos que puedes usar para orientar tu práctica. Es mejor variar las secuencias, dependiendo de la cantidad de tiempo de que dispongas y de lo que a tu cuerpo le parezca que necesita en ese momento. Si vas preparando gradualmente el terreno para hacer cada secuencia un par de veces a la semana, sentirás beneficios enormes.

HACERTE SITIO

Haz pausas regulares de 5 a 10 minutos, para hacer estiramientos, ¡a lo largo de toda la jornada! Cada una de las posturas de la sección *Yoga de sobremesa,* o cualquier combinación de ellas, puede emplearse para un corto descanso laboral. Puede ser difícil apartarte de un proyecto en marcha o sacar tiempo cuando tengas por delante un plazo que cumplir, pero los resultados —un cuerpo más sano, una mente más despejada y un espíritu más satisfecho— siempre merecen la pena. Trata de realizar estiramientos a intervalos regulares —pongamos cada 2 horas— y apáñatelas para realizar estas posturas una o incluso dos veces durante el transcurso de la jornada laboral.

HAZ UNA PAUSA

15 Minutos ante tu Mesa de Trabajo

- Postura Sentada, Figuras 1A o 1B
- Postura Sentada de la Montaña con Estiramiento Básico de Brazos, Figuras 2A o 2B
- Postura de Oración con las Manos en la Espalda, Figuras 3A o 3B
- Postura Sentada de Extensión de Columna, Figuras 6A o 6B
- Postura del Perro con una Silla, Figura 13
- Postura Sentada de Torsión, Figura 7
- Postura Sentada de Flexión de Tronco, Figura 10

El Yogui Trabajador

30 Minutos ante el Ordenador

- Postura Sentada, Figuras 1A o 1B
- Postura Sentada de la Montaña con Estiramiento Básico de Brazos, Figuras 2A o 2B
- Postura de Oración con las Manos en la Espalda, Figuras 3A o 3B
- Postura Sentada del Águila, Figuras 4A, 4B o 4C
- Postura Sentada de la Vaca, Figuras 5A o 5B
- Postura del Perro con una Silla, Figura 13
- Postura Sentada de Extensión de Columna, Figuras 6A o 6B
- Postura Sentada de Torsión, Figura 7
- Postura Sentada de Enhebrar la Aguja, Figuras 8A u 8B
- Postura de Pie de Flexión de Tronco, Figura 9
- Postura Sentada de Flexión de Tronco, Figura 10
- Estiramiento Lateral del Cuello, Figuras 11A a 11E
- Postura Sentada del León, Figura 12
- Consciencia Respiratoria y Meditación, Figuras 15A o 15B
- Postura de Relajación con las Piernas Elevadas, Figuras 14A o 14B

Práctica Vigorizante

30 Minutos para la Mañana o la Noche

- Postura de Estiramiento Lateral de Pie, Figura 16
- Postura Soportada de Estiramiento de Columna, Figura 17
- Postura Soportada de Estiramiento de Hombros, Figuras 18A o 18B
- Postura del Perro Mirando Hacia Abajo, Figuras 19A, 19B o 19C
- Postura Sentada del Águila, Figuras 4A, 4B o 4C
- Postura de Oración con las Manos en la Espalda, Figuras 3A o 3B
- Postura Sentada de Extensión de Columna, Figuras 6A o 6B
- Postura Sentada de Torsión, Figura 7
- Postura Sentada de Enhebrar la Aguja, Figuras 8A u 8B, y/o
- Postura Sentada de Flexión de Tronco, Figura 10
- Estiramiento Lateral del Cuello, Figuras 11A a 11E
- Postura Sentada del León, Figura 12
- Consciencia Respiratoria y Meditación, Figuras 15A o 15B
- Postura de Relajación con las Piernas Elevadas, Figuras 14A o 14B
- Postura de Soltar, Figura 23

Transición Vespertina

De 20 a 30 Minutos para Desconectar y Relajarse

- Postura de Estiramiento Lateral de Pie, Figura 16
- Postura del Perro Mirando Hacia Abajo, Figuras 19A, 19B o 19C
- Postura Sentada del Águila, Figuras 4A, 4B o 4C
- Estiramiento Lateral del Cuello, Figuras 11A a 11E
- Postura Sentada del León, Figura 12
- Postura Sentada de Torsión, Figura 7
- Postura Sentada de Enhebrar la Aguja, Figuras 8A u 8B
- Postura de Pie de Flexión de Tronco, Figura 9
- Postura Sentada de Flexión de Tronco, Figura 10
- Postura Echada de Torsión de Columna, Figuras 21A o 21B
- Postura Suave del Yogui Durmiente, Figuras 20A o 20B
- Postura del Ángulo Ligado, Figuras 22A o 22B
- Postura de Relajación con las Piernas Elevadas, Figuras 14A o 14B
- Postura de Soltar, Figura 23

Quinta parte

Yoga diario

▼ ▼ ▼ ▼ ▼ ▼ ▼ ▼ ▼ ▼ ▼ ▼ ▼ ▼ ▼ ▼ ▼ ▼ ▼ ▼

A la larga, el yoga no es sólo un programa de ejercicio, sino una herramienta para ampliar la consciencia a través de la atención. Por eso, introducir la práctica de yoga en tu vida cotidiana incrementará enormemente los beneficios que puede aportar. A continuación se encontrarán algunas ideas de cómo la atención en tus actividades diarias puede servir para fomentar más la prevención de LER, el mantenimiento de una espalda sana y aumentar el programa de reducción del estrés.

El yoga a lo largo de la jornada

¡Esfuérzate por ser ambidextro! A medida que nuestro cuerpo se desarrolla, casi todos adoptamos el hábito inconsciente de utilizar en exceso nuestro lado dominante. Con el tiempo, los músculos de este lado más fuerte empiezan a tirar con mucha más potencia de nuestro esqueleto, provocando desequilibrios físicos que producen achaques y dolores, y haciéndonos más propensos a lesiones. Empieza a practicar el uso de tu lado no dominante en actividades cotidianas que no requieran mucha destreza muscular fina. Remover una olla de sopa o saltear verduras, abrir puertas, e incluso alargar el brazo para coger algo situado en un estante alto o para rascarse la espalda son, todos ellos, ejemplos de movimientos que se puede aprender a hacer con el brazo no instintivo, sencillamente acordándote de trabajar de manera consciente contra el hábito. Además de fortalecer tu lado más débil y equilibrar el cuerpo, adquirir nuevos hábitos físicos también fortalece el cerebro rompiendo patrones mentales y aumentando la propiocepción, lo cual mejora el coeficiente de inteligencia físico. Desde el punto de vista del uso del ordenador, aprender a cambiar de mano el ratón puede ser inmensamente útil, y aunque los primeros días o semanas pueda parecer incómodo, con la práctica la coordinación muscular de la mano no dominante mejorará significativamente.

Equilibra la carga. Llevar mochila es mejor para los hombros que acarrear una bolsa pesada en uno solo. Si tienes que llevar cartera, coge el hábito de alternar regularmente en qué lado la llevas. Y trata de aligerar también la carga; no lleves contigo más de lo que necesites imperiosamente.

No pares. No limites tus estiramientos a las sesiones de práctica de yoga. Utiliza los hombros, los brazos y las manos durante todo el día. Una amplitud de movimiento saludable requiere mantener un equilibrio entre fuerza y flexibilidad. Así que empieza a dar a tus músculos el gustazo de estiramientos regulares a lo largo del día para mantenerlos funcionando a la perfección. Entre los buenos momentos para estiramientos de hombros extras se incluyen nada más levantarse por la mañana; después de levantar o acarrear cualquier cosa moderadamente pesada (una maleta, la bolsa de la compra, un bebé); después de cocinar, cuidar el jardín o conducir; y al final de la jornada antes de acostarse.

Fortalece tu zona media. Los músculos abdominales fuertes son un componente clave de una espalda sana, así que considera la posibilidad de complementar tus rutinas de yoga con algo de trabajo regular de fortalecimiento de la zona media, también conocida como *core* o segmento somático central. El libro de Judith Hanson Lasater en la colección Yoga Shorts de Rodmell Press, *Yoga Abs,* es un gran recurso para esto. Además de realizar ejercicios centrados en los abdominales, prueba a cambiar tu silla de la oficina por una pelota o balón de ejercicio (conocida también por muchos otros nombres, como *physio ball, cardio ball,* pelota de estabilidad, etc.). Sentarse en la pelota en vez de una silla mantendrá tu cuerpo más activo, ya que los músculos, en especial los de la zona media que sostienen directamente la columna vertebral, continuamente hacen pequeños ajustes para mantenerte equilibrado.

Levanta objetos con cuidado. Muchas personas se lesionan la espalda levantando algo demasiado pesado, bien porque no saben cómo levantarlo correctamente o porque están tratando de cargar en exceso. Es importante levantar objetos utilizando la fuerza de las piernas, algo nada fácil de hacer cuando tienes que inclinar el tronco para levantar del suelo algo pesado. Si tienes que levantar un objeto grande, protégete la espalda buscando la ayuda de alguien. Y si tienes opción, ten presente el siguiente consejo, que proviene de uno de mis primeros profesores de yoga y me ha acompañado todos estos años: "Tus piernas son la parte más fuerte de tu cuerpo. Usarlas protege tu espalda". En otras palabras, no trates de cargar con todas las bolsas de la compra o todas las maletas de una sola vez; haz un par de viajes. Y así, además, harás más ejercicio.

Desconecta. La gestión del tiempo es un tema candente para la mayoría de nosotros en este mundo cada vez más acelerado. Busca lugares para ralentizar. Cuando te sea posible, desconecta de tu ordenador, PDA y móvil. Establece rigurosamente un tiempo para el correo electrónico, reduciendo el número de veces que lo compruebas cada día, así como la cantidad de tiempo que inviertes contestando los mensajes. Deja que esperen los correos menos urgentes, y concédete suficiente tiempo para responder, a fin de permitir respuestas mesuradas y concienzudas. Considera la posibilidad de tomarte semanalmente un día o el fin de semana libre del ordenador. Si tal cosa parece imposible de contemplar, experimenta con ello unas cuantas veces; observa qué sucede si desconectas durante tan sólo un día o dos.

La medida más útil que he tomado es no encender el ordenador en absoluto hasta después de mi práctica matinal de yoga. Comprobar el correo electrónico nada más levantarme era algo que me robaba tiempo y a menudo provocaba que la sesión se truncase o se perdiera, y cambiar mi rutina para reflejar prioridades más saludables (y más verdaderas) ha sido una gran ayuda. Por supuesto, hay días en que algo verdaderamente no puede esperar, y atenderlo a veces significa menos tiempo de práctica aquel día; pero trata de ser realista acerca de lo que realmente requiere atención inmediata, en vez de dejar que tu ordenador y tu teléfono controlen cómo inviertes tu tiempo.

Cuando empecé por primera vez a tomarme domingos sin ordenador, me sorprendieron dos cosas: la primera fue las pocas cosas importantes que sucedían por regla general entre la noche del sábado y la mañana del lunes; la segunda fue lo apacible y liberador que era desconectar y lo mucho que disfrutaba de mi día libre. Ahora tengo cuidado de apartarme de este ritual sólo para algo verdaderamente urgente, y pocas comunicaciones alcanzan ese nivel.

Prácticas diarias de atención para reducir el estrés y tener sano el sistema inmunológico

Practica yoga cuando más lo necesites. Empieza a practicar la atención en la vida cotidiana. Vuelve a dirigir tu consciencia a la respiración cuando te encuentres en situaciones estresantes, como por ejemplo tráfico lento, presiones de plazos de entrega, o reuniones aburridas. En vez de centrarte en la causa del estrés, observa tu respiración y tus pensamientos con el mismo sentido de observación y aceptación que aportas a tu práctica de yoga, y siente cómo se relajan tu cuerpo y tu tensión arterial. Con esta práctica verás que, aunque no puedas siempre controlar la fuente del estrés, puedes influir sobre tu propia reacción ante él.

Convierte la relajación en hábito diario. Para tu salud, es importante hacerte tiempo para la relajación regularmente —a diario, si es posible—. Considera el descanso igual que tomar vitaminas: como algo que fortalece todo tu organismo y te mantiene entonado en tu óptima capacidad. En un día atareado, cuando realmente sólo tienes cinco minutos para practicar, considera la posibilidad de convertir en una prioridad la Postura de Soltar.

Crea una vida equilibrada. La salud depende del equilibrio, y una vida que no es más que trabajo está desequilibrada. Cuidarte, hacer las cosas con las que más disfrutes, e invertir tiempo de calidad con las personas que amas no debe limitarse a las vacaciones o posponerse para la jubilación. Buscar tiempo para disfrutar en tu vida cotidiana no es un exceso: es esencial para una existencia saludable.

Yoga con Sandy Blaine

Si visitas **www.sandyblaine.com,** encontrarás información sobre clases y talleres.

Clases públicas, a todos los niveles
Alameda Yoga Station
2414-A Central Avenue
Alameda, CA 94501
www.alamedayogastation.com

Estudios avanzados y clases de formación de profesores
The Yoga Room
2640 College Avenue
Berkeley, CA 94704
www.yogaroomberkeley.com

Las clases de yoga abiertas al público en curso no están orientadas hacia el trabajo de rehabilitación y no pueden adaptarse siempre con facilidad a las necesidades individuales. Si tienes una afección aguda, como pueda ser una LER, trabaja con un profesor cualificado en sesiones particulares para establecer un programa terapéutico individualizado, o busca talleres que traten de tu afección en particular.

Otras direcciones

www.aeyi.org (yoga Iyengar)
www.sivananda.org (yoga Sivananda)

Vestuario y accesorios para Yoga
fotografiados en Yoga para usuarios de ordenador

Hugger Mugger Yoga Products, www.huggermugger.com

Lululemon Athletica, www.lululemon.com

Marie Wright Yoga Wear, www.mariewright.com

Meco Corporation, www.meco.net

Bibliografía recomendada

Lasater, Judith Hanson. *30 Essential Yoga Poses: For Beginning Students and Their Teachers*. Berkeley (California): Rodmell Press, 2003.

————, *Posturas pasivas para un yoga reconstituyente. Relajarse y renovarse*. Trad. Joaquín Tolsá. Madrid: Ediciones Tutor, 2009.

————, *Yoga Abs: Moving from Your Core*. Berkeley (California): Rodmell Press, 2005.

Lewis, Dennis. *El tao de la respiración natural. El poder transformador de la respiración natural*. Trad. Nora Steinbrun. Móstoles (Madrid): Gaia Ediciones, 1998.

Mehta, Mira. *How to Use Yoga: A Step-by-Step Guide to the Iyengar Method of Yoga for Relaxation, Health and Well-Being*. Londres: Southwater, 2006.

Mehta, Silva, Mira Mehta y Shyam Mehta. *El Método Iyengar*. Trad. Joaquín Tolsá. Madrid: Ediciones Tutor, 2004.

McCall, Timothy. *Yoga & medicina: prescripción del yoga para la salud*. Trad. Valle Nara García Fernández. Badalona (Barcelona): Paidolibro, 2009.

Rentz, Kristen. *Yoga Nap: Restorative Poses for Deep Relaxation*. Nueva York: Marlowe & Company, 2005.

Sapolsky, Robert M. *¿Por qué las cebras no tienen ulcera? La guía del estrés*. Trad. Celina González Serrano. Madrid: Alianza Editorial, 1995.

Los modelos

▼ ▼ ▼ ▼ ▼ ▼ ▼

Holly Lloyd es directora técnica en los Pixar Animation Studios de Emeryville (California) y madre de dos niñas increíbles, Alexandra y Madeleine. Empezó a practicar yoga en 1997, un año después de fracturarse una vértebra al caerse de un caballo. A pesar de los ataques de LER resultantes del trabajo con ordenador, Holly ha continuado con su yoga en la oficina con Sandy Blaine en Pixar y en otras clases de yoga de la zona de la Bahía de San Francisco.

Doug Sweetland ha sido animador en los Pixar Animation Studios desde 1994, y durante la producción de este libro dirigía *Presto,* un cortometraje que se estrenó en 2008 y fue nominado a los premios Oscar de ese mismo año en la categoría de "Mejor cortometraje animado". Empezó a practicar yoga bajo la dirección de Sandy Blaine a finales de los noventa, al aparecerle complicaciones de LER. El yoga, ejercicio y, gracias a su mujer y su hijo, trabajar a sus horas pusieron fin a esas complicaciones. Doug agradece a Pixar que subvencione el yoga para sus empleados, así como que encontrara una instructora tan comprensiva como Sandy Blaine.

La autora

▼   ▼   ▼   ▼   ▼   ▼   ▼

Sandy Blaine empezó a practicar yoga en 1987 y ha sido profesora de yoga a tiempo completo en la zona de la Bahía de San Francisco desde 1993. En 1995 se graduó en el Programa de Estudios Avanzados de The Yoga Room, en Berkeley (California), y entró a formar parte del claustro de profesores en el año 2000. Es cofundadora y codirectora del centro Alameda Yoga Station, donde imparte clases públicas. Ha sido la profesora de yoga de plantilla en los Pixar Animation Studios desde 1994. Sus textos han aparecido en *Ascent, Yoga +Joyful Living,* y *Yoga Journal,* y es autora de *Yoga for Healthy Knees: What You Need to Know for Pain Prevention and Rehabilitation* (Rodmell Press, 2005).

REVISANDO FOTOS EN EL PLATÓ: LOS MODELOS, HOLLY LLOYD Y DOUG SWEETLAND, DE PIE; LA AUTORA, SANDY BLAINE, Y EL COEDITOR DONALD MOYER, SENTADOS.

Índice temático

▼ ▼ ▼ ▼ ▼ ▼ ▼ ▼